PAROLE POUR LES YEUX

Parallèlement à l'édition du présent ouvrage, sont publiées deux pochettes d'illustrations que le lecteur pourra se procurer aux adresses ci-dessous mentionnées :

Reproductions de l'ensemble des icônes des fêtes :
Pochette de 21 planches. Format : 15,5 × 23,5.
Éd. du Lion de Juda : Nouan-le-Fuzelier, 41600 Lamotte-Beuvron.

Le mystère pascal :
Pochettes de 12 diapositives.
Centre d'information missionnaire, Congrégation du Saint-Esprit : 30, rue Lhomond, 75005 Paris.

Emmanuel FRITSCH

PAROLE
POUR LES YEUX

Clés pour les icônes des fêtes
du Seigneur et de
la Mère de Dieu

FAYARD

Liste des abréviations bibliques utilisées

Actes des apôtres	Ac	Jean (1re lettre de)	1 Jn
Apocalypse	Ap	Job	Jb
Colossiens (Lettre aux)	Col	Joël	Jl
Corinthiens (1re lettre aux)	1 C	Jude (Lettre de)	Jude
Corinthiens (2e lettre aux)	2 C	Malachie	Ml
Daniel	Dn	Nombres	Nb
Deutéronome	Dt	Philippiens (Lettres aux)	Ph
Lettre aux Éphésiens	Ep	Pierre (1re lettre de)	1 P
Évangile selon saint Jean	Jn	Pierre (2e lettre de)	2 P
Évangile selon saint Luc	Lc	Proverbes	Pr
Évangile selon saint Marc	Mc	Psaumes	Ps
Évangile selon saint Matthieu	Mt	Rois (1er livre des)	1 R
Exode	Ex	Rois (2e livre des)	2 R
Ézéchiel	Ez	Romains (Lettres aux)	Rm
Galates (Lettre aux)	Ga	Samuel (1er livre de)	1 S
Genèse	Gn	Samuel (2e livre de)	2 S
Hébreux (Lettre aux)	He	Thessaloniciens (1re lettre aux)	1 Th
Isaïe	Is	Timothée (1re lettre à)	1 Tm
Jacques (Lettre de)	Jc	Zacharie	Za

NOTE SUR LA TRANSCRIPTION

1. *Du grec*

Bien qu'elle ne corresponde pas à la prononciation actuelle, nous avons adopté les conventions utilisées pour transcrire le grec selon la restitution érasmienne, plus familière à la plupart.

2. *Du slavon*

Nous utilisons l'alphabet latin en usage dans plusieurs pays slaves. En voici les signes particuliers :

G se prononce toujours dur, comme dans « gare ».
S ne se prononce jamais Z.
Š se prononce CH, comme dans « cheval ».
C se prononce TS, comme dans « tsar ».
Č se prononce TCH, comme dans « tchèque ».
ŠČ se prononce CHTCH.
E se prononce la plupart du temps mouillé (ié) et n'est jamais muet.
J se prononce toujours comme dans « yeux ».
Ž se prononce toujours comme dans « journal ».
H se prononce comme le CH allemand dans « Buch ».
U se prononce toujours OU, comme dans « ours ».
Y représente le I dur (entre le i et le u).
' l'apostrophe rend le signe mou.

Écrits à l'ouverture de chaque chapitre à l'aide de l'alphabet cyrillique russe, les titres des icônes sont repris à la fin de l'ouvrage en écriture slavonne.

« Cette effigie et cette inscription, de qui sont-elles ? »

MATTHIEU 22, 15.

AVANT-PROPOS

Aujourd'hui, en Occident, le sentiment esthétique et religieux demande des icônes — ou du moins des reproductions. Les ouvrages abondent, qui offrent des illustrations somptueuses, et quelques théologiens proposent des interprétations spirituelles tandis que les historiens de l'art publient de leur côté des recherches moins vulgarisées et plus austères.

Or l'iconographie, qui appartient à la Tradition de l'Église, n'est pas faite pour satisfaire un mysticisme douteux excité par un côté exotique que des spéculations trop recherchées transformeraient pour un peu en ésotérisme. Il n'y a d'ailleurs dans cet art aucun secret. Qu'on se garde donc d'en altérer le sens et le contenu vraiment religieux pour le considérer comme un instrument de la relation des croyants avec Dieu.

Ces pages voudraient par conséquent servir la compréhension du langage des icônes pour permettre, en dépassant un certain attrait facile et la mode, un accès simple à l'iconographie byzantine traditionnelle qui soit enrichissant pour la foi dans le contexte de l'Église. Elles n'ont donc d'autre ambition que d'être un outil de lecture, un manuel qui permettra de déchiffrer la plupart des thèmes iconographiques importants, où qu'on les retrouve. Le lecteur n'oubliera pas non plus que bien des choses relèvent de la dimension proprement artistique de l'iconographie.

À propos de chaque thème, on disposera d'éléments d'Écriture sainte, d'histoire, de liturgie, de théologie, qui fourniront un contexte minimal. Les titres usuels seront écrits en grec et en slavon, de façon à donner la possibilité de reconnaître des œuvres concrètes et variées. À plusieurs reprises, on trouvera des référen-

ces à certains évangiles apocryphes. Que cela ne suscite ni affolement ni frétillement ! La Tradition de l'Église, qui a discerné les Écritures inspirées, a aussi retenu dans d'autres écrits des éléments utiles et riches d'enseignements qu'on retrouve dans les textes liturgiques et l'iconographie.

Le lecteur ne sera bien entendu pas étonné de constater que les références nombreuses à la liturgie se rapportent à la Tradition des Églises de rite byzantin, orthodoxes ou en communion avec l'Église de Rome. La grande cohérence qui réunit en Orient l'Écriture, la théologie, la spiritualité et l'art dans la synthèse liturgique l'imposait. Les termes des citations liturgiques paraîtront étranges aux uns mais permettront à d'autres de se rendre à la source.

Pour donner au lecteur la possibilité d'utiliser librement, par exemple à des fins catéchétiques ou familiales, les illustrations du cycle complet des fêtes du Christ et de la Vierge, nous les avons réunies dans une pochette éditée par les Éditions du Lion de Juda. Un choix de diapositives a aussi été préparé par le Centre d'information missionnaire de la Congrégation du Saint-Esprit. Les illustrations du présent ouvrage suffiront tout de même à faire imaginer avec fidélité tous les thèmes évoqués.

La plupart des icônes originales ont été peintes à partir de 1959 par M. Georges Morozoff pour décorer la chapelle catholique de rite byzantin Saint-Irénée, que l'abbé Paul Couturier avait contribué à fonder à Lyon pour les réfugiés d'Europe orientale. L'ouverture de cette chapelle en décembre 1932 entraîna en janvier 1933 un solennel triduum de prière pour l'unité des chrétiens qui devait devenir la Semaine mondiale de prière pour l'unité des chrétiens, toujours célébrée du 18 au 25 janvier de chaque année. Les autres représentations sont dues notamment à l'obligeance du monastère bénédictin de Chevetogne.

Ce livre pourra être profitable à ceux qui désirent se servir effectivement des icônes, soit à titre personnel, soit en vue de guider prière liturgique, méditation ou peut-être surtout de catéchiser. Nombreux sont en effet les pasteurs — en Occident comme du reste dans le tiers monde — qui ont remarqué quelle aide peut apporter l'iconographie à la transmission de la foi chrétienne. Cela est naturel, l'icône étant une forme de lecture biblique, qui fait voir le Verbe incarné comme la Bible fait l'entendre.

Voir, entendre, goûter le Christ dans l'expérience liturgique de la communauté ecclésiale, c'est devenir participant de la Tradi-

tion apostolique. C'est recevoir la vocation de témoigner avec assurance de la résurrection du Christ qui fait déjà lever la pâte du monde.

Puissent ces pages contribuer à l'annonce de la Bonne Nouvelle, qui peut illuminer notre univers à travers la compréhension et l'utilisation du patrimoine commun de l'Église indivise, toujours vivante sous le masque des schismes. Et si ce patrimoine iconographique a été fidèlement gardé par l'Église d'Orient, il est cependant loin d'être étranger à l'Occident, comme en témoignent notamment les si nombreuses réalisations de l'époque romane.

« Que tous soient un en nous, Père, afin que le monde croie que tu m'as envoyé. » (Jn 17, 21.)

I

BRÈVE INTRODUCTION À L'ICÔNE

« Puisque vous n'avez vu aucune forme le jour où le Seigneur, à l'Horeb, vous a parlé au milieu du feu, n'allez pas vous pervertir et vous faire une image sculptée représentant quoi que ce soit : figure d'homme ou de femme [...]. » (Dt 4, 15-16.)

L'Ancien Testament est formel : reproduire l'image de ce qu'on n'a jamais vu est s'abandonner à la plus haute fantaisie et même à l'idolâtrie, la forme représentée et à laquelle un culte est adressé ne correspondant en rien à un éventuel prototype divin au-delà de toute perception, mais bien soit au néant, soit à un faux dieu.

Cependant, depuis la venue parmi nous du Fils éternel de Dieu, Dieu comme son Père, devenu homme comme nous, les choses ont changé : nous avons vu la Divinité dans la personne de Jésus de Nazareth. « Il est l'image du Dieu invisible, premier-né de toute créature » (Col 1, 15), qui a déclaré lui-même : « Qui me voit, voit celui qui m'a envoyé » (Jn 12, 45) et : « Qui m'a vu a vu le Père » (Jn 14, 9).

« Le Verbe de vie que nous avons entendu, vu de nos yeux, que nos mains ont touché » (1 Jn 1, 1), nous pouvons le représenter selon sa nature humaine désormais inséparable de sa nature divine. Ce faisant, nous confessons l'amour fou du Seigneur Jésus qui, « de condition divine, [...] s'anéantit lui-même, [...] devenant semblable aux hommes » (Ph 2, 6), désormais éternellement « visage humain de Dieu et visage divin de l'homme », selon une expression d'Olivier Clément. Ce point est au cœur de la foi chrétienne.

Sur cette base, l'iconographie chrétienne, qui avait commencé dans les catacombes, s'est vraiment développée en empruntant des éléments en circulation dans le monde oriental et gréco-romain surtout, dans une synthèse opérée dans le contexte de l'empire de Constantin. Dès lors mosaïques, fresques, sculptures même, icônes portatives ont pris leur essor, contrarié un temps par la grave crise de l'iconoclasme, puis confirmé par le VIIe concile œcuménique tenu à Nicée en 787 et rétabli définitivement lors de la victoire de l'orthodoxie sous Théodora, en 843, commémorée chaque premier dimanche du grand carême.

Des Pères de l'Église tels que saint Jean Damascène ou saint Théodore le Studite ont éminemment contribué à préciser les fondements théologiques de l'iconographie chrétienne.

Voici l'essentiel de la définition dogmatique du IIe concile œcuménique de Nicée, datée du 13 octobre 787 :

« Puisque les icônes s'accordent avec les récits de la prédication évangélique, elles sont utiles pour rendre plus croyable l'incarnation, réelle et non fictive, du Verbe de Dieu, et pour nous procurer un grand profit. Car les choses qui renvoient mutuellement l'une à l'autre [à savoir l'Évangile et les icônes] ont de toute évidence la même signification l'une que l'autre.

« Nous marchons donc sur la voie royale en suivant le divin enseignement de nos saints pères et la Tradition de l'Église catholique : car nous savons que cette Tradition vient du Saint-Esprit qui habite en elle. Nous définissons donc en toute justesse et rigueur que, semblablement au type de la Croix vénérable et vivifiante, il faut vouer [à Dieu] les saintes et vénérables icônes faites selon ce qui convient de couleurs, de mosaïques, de pierres ou d'autres matériaux, que ce soit dans les saintes églises de Dieu, sur les ustensiles et les vêtements sacrés, sur les murs et les planches de bois, ou dans les maisons et sur les chemins ; et aussi bien les icônes de Notre-Seigneur, Dieu et Sauveur Jésus-Christ, que celles de notre Dame la sainte Mère de Dieu, des anges vénérables et de tous les saints.

« Plus souvent on regardera ces représentations imagées, plus ceux qui les contempleront seront amenés à se souvenir des modèles originaux, à se porter vers eux, à leur témoigner, en les baisant, une vénération respectueuse, sans que ce soit une adoration véritable qui, selon notre foi, ne convient qu'à Dieu seul. Mais comme on le fait pour l'image de la Croix précieuse et vivifiante, pour les saints Évangiles et pour les autres choses sacrées, on offrira de l'encens et des lumières en leur honneur, selon la pieuse coutume des anciens. Car "l'honneur rendu à une image remonte à l'original" (saint Basile). Quiconque vénère donc une image vénère en elle l'hypostase de celui qui y est représenté. »

On saisit donc qu'une icône, mot qui est calqué sur le grec 'H EἰΚΩΝ *(hè eikôn)* et désigne à l'origine n'importe quelle image, est en fait une « certaine » image. Elle possède une grande densité car elle se rapporte directement à la foi chrétienne, à l'expérience personnelle et communautaire du croyant, à la théologie, à la liturgie qui est le lieu de la synthèse de tout dans le Christ. Aucun de ces domaines ne saurait être isolé des autres, tout au plus distingué, pour percevoir Dieu à travers le Christ.

Dans la logique de l'incarnation du Christ, l'icône exerce un rôle symbolique : elle est un élément visible qui met en rapport avec l'invisible représenté. D'une certaine manière, elle permet de voir l'invisible.

Une icône est donc un « instrument » de prière qui sert à la communication du croyant avec son Dieu. Si elle sanctifie, c'est par la relation que l'on peut établir intentionnellement à son aide avec la personne représentée. Voilà pourquoi il est indispensable que le nom de l'icône figure sur celle-ci. L'inscription garantit en effet la correction de l'intentionnalité et, du même coup, consacre l'icône dans son usage propre.

La considération suivante mérite aussi quelque attention. Le Verbe éternel de Dieu s'étant incarné en demeurant ce qu'il était, il a de ce fait comme imprégné des énergies de sa divinité tout l'univers matériel dont il fait partie par son corps et dont sa résurrection a entamé le processus de transfiguration (Rm 8, 19-22). Une icône, du moins l'icône portative, rassemble donc volontiers les différentes composantes de l'univers — la planche pour le règne végétal, les pigments pour le règne minéral, et l'œuf, dont le jaune sert de liant, pour le règne animal — afin d'y faire apparaître clairement l'image du Sauveur. Elle condense alors en elle de façon plus évidente les énergies divines accessibles au croyant à travers les actes de vénération.

Le Christ représenté est le Seigneur Maître-de-tout, considéré à travers son humanité transfigurée par sa résurrection, même sur une scène comme la Crucifixion, selon une vision des choses où la grâce fait irruption dans le monde et l'histoire. En même temps qu'on dépeint un événement vécu dans le passé, on tient donc compte du présent et même de l'avenir, quand la gloire de Dieu inondera tout être et toute chose de sa lumière. À cet égard, on ne peut que se référer sans cesse à l'iconographie de la Transfiguration.

Avec celle du Seigneur Jésus, on peint aussi l'icône de la Mère de Dieu, la Vierge Marie, du Précurseur Jean-Baptiste et des autres saints dont le visage, illuminé par la grâce, est devenu signe de la Présence de Dieu.

Une icône est exécutée selon des règles transmises de façon traditionnelle de peintre à peintre ou à l'intérieur d'un atelier. Il n'y a aucun secret, car peindre une telle œuvre est un service de l'Église et les normes de la fabrication comme l'usage de l'icône appartiennent à l'Église. Ces règles — ou « canons » — ont pour but de garantir la conformité de la peinture avec l'ensemble de l'expérience du Christ faite par l'Église et exprimée par la lecture de la Bible, par la liturgie, la théologie.

Peindre une icône est donc un ministère, un service d'Église, pour lequel il est possible de recevoir une bénédiction de l'évêque. L'iconographe n'a pas à signer son œuvre, qui appartient à l'Église et dans l'exécution de laquelle il doit avoir l'ascèse de se conformer à la Tradition, forme de mémoire ecclésiale. C'est qu'on n'invente pas le Christ. En même temps, l'engagement personnel du peintre dans son ouvrage est capital : pour un vrai résultat, il doit chercher à faire apparaître en lui-même la grâce du Saint-Esprit, comme il tâche de la faire apparaître sur la planche. Sont nécessaires une certaine qualité de vie chrétienne ; la sensibilité à la transparence des choses à l'invisible, à leur transfiguration par le Saint-Esprit ; la prière ; la méditation et la compréhension de ce que l'on peint. Le tout, intégré à la personnalité de l'iconographe inséré dans son époque et sa culture, fait de l'application des modèles traditionnels de véritables créations, et des icônes toujours parentes ne sont jamais identiques.

La bénédiction de l'icône est sa réception dans l'Église. Elle atteste sa canonicité, sa conformité à ce qu'on attend d'elle, et autorise son usage pour le culte. Elle restera utile jusqu'au retour du Seigneur à la fin des temps. Le symbole ne sera alors plus nécessaire puisque le Seigneur Jésus-Christ, l'image consubstantielle du Père, sera tout en tous.

II

1. Vue générale de la chapelle Sainte-Irénée, paroisse byzantine, Lyon.

2. Christ de l'Iconostase.

3. Deisis de l'Iconostase.

LA DÉCORATION D'UNE ÉGLISE BYZANTINE

L'ÉDIFICE DU TEMPLE

Les églises ont d'abord été des basiliques orientées vers l'est dont l'autel était séparé par une balustrade. Puis, vers le VIIe siècle, elles ont reçu la forme d'une croix grecque devenant parfois un cube, surmontée d'une coupole.

À l'est, une triple abside. Celle du milieu renferme l'autel ainsi que, tout au fond, le trône épiscopal. À gauche, il y a la table de la préparation (la prothèse) tandis que le diaconicon ou sacristie occupe la troisième abside.

On entre dans l'église par l'exonarthex — ou narthex extérieur — pour accéder au narthex. C'est l'endroit où se déroulent les offices monastiques non solennels et où devraient se tenir les caté-chumènes, les pénitents, les « hérétiques » et, dans une église monastique, les fidèles.

L'église est l'espace liturgique qui contient l'assemblée des fidè-les — notamment l'assemblée eucharistique qui les constitue en église, justement — et englobe symboliquement l'univers entier ; elle représente donc l'aspect cosmique de l'Église.

En voici l'idée maîtresse : figurer le monde nouveau par une construction symbolique. Cette construction symbolique est éta-blie sur le modèle de l'univers créé, qui selon la conception anti-que est le temple de Dieu, c'est-à-dire un parallélépipède figurant le créé, la terre, surmonté d'une coupole figurant les cieux invisi-bles occupés par Dieu et les anges.

Quant au monde nouveau évoqué, il provient de l'irruption du céleste dans le terrestre. C'est cette intervention de Dieu dans l'histoire du monde par Jésus-Christ, dans le but de permettre la participation des hommes au céleste (l'économie du salut), qui sera représentée sur les arcs formés par les quatre bras de la croix soutenant la coupole et évoquant les quatre parties du monde (universalité).

Saint Athanase d'Alexandrie écrivait : « Dieu s'est fait homme pour que l'homme devienne dieu. »

L'union du ciel et de la terre est aussi signifiée et vécue par le rapport que l'iconostase et l'action liturgique proprement dite — spécialement la divine liturgie eucharistique et la communion — établissent entre le sanctuaire (le ciel invisible) et la nef (le monde visible).

LA DÉCORATION MURALE

Les fresques ou mosaïques qui ornent les murs de l'église sont exécutées selon les points de vue, mystique dans l'expression de l'union du ciel et de la terre, catéchétique quand interviennent la pédagogie et l'illustration, et décoratif évidemment, selon les conceptions et les procédés des différentes écoles passées ou actuelles.

Les cycles fondamentaux se déploient dans l'*abside,* la *coupole* et sur les *voûtes.*

L'ABSIDE. DIEU SE COMMUNIQUE
PAR L'EUCHARISTIE

1. LA MÈRE DE DIEU est représentée dans la conque de l'abside, à la place du Pantocrator qui s'y trouvait primitivement alors qu'on le voit maintenant dans la coupole. Cette disposition n'a pratiquement pas été modifiée depuis le IIe concile de Nicée (787).

Elle revêt le type de la *Platytera tôn ouranôn (Znamenïe,* le « Signe »), trônant parfois, et vénérée par des anges.

La Vierge Marie est la Mère de Dieu. La représenter équivaut à confesser l'incarnation du Seigneur Jésus qui est à l'origine de l'Eucharistie, sacrement de la théophanie permanente du Logos (du Verbe). L'incarnation du Christ permet à l'homme de s'associer à l'adoration angélique et de communier avec les mystères divins, spécialement en célébrant le sacrifice du Seigneur dans la participation à l'Eucharistie. Par elle, Dieu et l'homme sont réconciliés.

La Mère de Dieu est aussi la figure de l'Église qui donne le Sauveur au monde ; c'est d'elle que se lève le véritable soleil du monde, le Christ. C'est pourquoi l'église est orientée et la Mère de Dieu représentée à l'est.

2. LA COMMUNION DES APÔTRES qui se déploie sous la Platytera évoque l'institution du sacrement de l'Eucharistie et l'ordre de le refaire : « Prenez... mangez... buvez... Faites ceci en mémoire de moi. » Cette représentation du Christ qui se donne lui-même sacramentellement revêt la forme liturgique adoptée par l'Église.

3. LES SAINTS ÉVÊQUES, qui ont hérité de l'ordre apostolique de célébrer la pâque eucharistique du Christ, forment un cortège conduit par les liturges Jean Chrysostome et Basile le Grand. Ils sont parfois assistés des diacres Étienne et Laurent surtout, et continuent de concélébrer et d'attester la foi eucharistique : un autel est souvent peint au milieu d'eux, sous celui de la communion des apôtres, et il n'est pas rare d'y trouver dans la patène le Christ Enfant.

4. L'HÉTIMASIE annonce le retour du Seigneur. Il s'agit de la représentation d'un trône, sur lequel repose l'Évangile et qu'ornent la croix et les autres instruments de la Passion, en vue du Jugement dernier. L'Église attend la deuxième venue du Christ, ce qui explique son orientation. Elle établit aussi un rapprochement entre la communion eucharistique et le bonheur du paradis, tout en mettant en garde contre une participation aux saints mystères qui serait légère ou sacrilège. « Qu'elle n'entraîne ni jugement ni condamnation, s'exclame-t-on avant de communier, mais la guérison de l'âme et du corps. »

5. L'ASCENSION DU SEIGNEUR, à moins qu'elle ne se confonde avec le Pantocrator de la coupole, occupe généralement la voûte et le haut des murs des côtés de l'abside :

« Ayant uni la créature terrestre aux habitants du ciel, tu as été enlevé en gloire, Christ notre Dieu, sans nullement t'éloigner. » (Kondakion de l'Ascension.)

LA DESCENTE DU SAINT-ESPRIT sur les apôtres est aussi souvent représentée. Ces deux scènes théophaniques manifestent que la vie divine réside désormais en l'homme lui-même quand il communie avec Dieu incarné et exalté dans sa chair humaine, et se laisse configurer à lui par le Saint-Esprit.

6. L'ANNONCIATION est placée à l'entrée de l'abside, car elle est le commencement de l'incarnation du Seigneur et la manifestation d'une réponse humaine correspondant à la volonté de Dieu.

Selon la prophétie d'Ézéchiel, la Vierge est la porte « par où le Seigneur passera, et qui sera fermée » (Ez 43, 27 ; 44-4). Ce symbolisme s'allie à la fonction de ce lieu, par lequel l'Évangile et l'Eucharistie sont portés par les célébrants de l'autel au peuple.

7. DANS L'ABSIDE DE LA PROTHÈSE, on trouve, autour du Christ au tombeau et de sa Nativité, les sacrifices « typiques » de l'Ancienne Alliance que le Seigneur a récapitulés :

Le sacrifice d'Abraham (Gn 22, 1-14), où les Pères ont vu la figure du sacrifice du Christ ;

Le sacrifice d'Abel, que Dieu agrée, contrairement à celui de Caïn (Gn 4, 4) ;

Le sacrifice de Melchisédech, composé de pain et de vin comme l'Eucharistie (Gn 14, 17-20) ;

L'hospitalité d'Abraham (Gn 18). Les trois anges évoquent la Trinité et la table l'Eucharistie ;

Le grand prêtre Aaron et la Tente du Témoignage (Ex 25) ;

L'échelle de Jacob symbolisant l'union du ciel et de la terre, et rappelant la pierre (l'autel) érigée et ointe par Jacob à son réveil (Gn 28, 11-22) ;

Les trois Hébreux dans la fournaise s'offrant eux-mêmes en sacrifice d'un cœur brisé et chantant le cantique de louange (Dn 3, 51-90) ;

Daniel dans la fosse aux lions.

À ces scènes, on joint souvent :

La vision de saint Pierre, archevêque d'Alexandrie (le Christ Enfant à la tunique déchirée, debout sur l'autel, et se plaignant du mal que commet Arius en divisant l'Église par son hérésie) ;

Le Christ-Emmanuel.

8. L'ABSIDE DU DIACONICON est un lieu de préparation consacré à la Mère de Dieu. On y trouve donc souvent :

Le buisson ardent (Gn 3, 1-6), qui figure la maternité divine et l'intégrité de la Vierge, comme son obéissance à la Loi donnée par Dieu à Moïse au Sinaï ;

Le signe de la Mère de Dieu (la Platytera) ;

Le prophète Élie nourri par un corbeau comme la Vierge au Temple par l'archange Gabriel ;

L'échelle de Jacob, les trois Hébreux dans la fournaise, Daniel dans la fosse, la Tente du Témoignage sont autant de scènes auxquelles on peut attribuer une signification mariale. On peut donc les trouver au diaconicon aussi bien qu'à la prothèse ;

Faisant pendant à l'Emmanuel de la prothèse, on trouve souvent l'Ancien des jours.

LA COUPOLE. LE MONDE CÉLESTE

1. LE PANTOCRATOR, image de Dieu le Père, contemple du haut du ciel l'univers qu'il a créé et le régit. C'est l'affirmation que le Père et le Fils sont consubstantiels.

2. LA DIVINE LITURGIE. Par nature, les anges contemplent le Seigneur et l'adorent continuellement en chantant : « Saint, saint, saint. » (Is 6, 3.) Ils célèbrent éternellement avec le Christ Grand Prêtre l'offrande qu'il fait constamment de lui-même à son Père.

On reconnaît le moment liturgique de la grande Entrée. Les anges y sont vêtus comme des prêtres et des diacres, tandis que le Christ officie revêtu des ornements épiscopaux.

Par son incarnation, le Christ a rendu l'homme capable d'adorer Dieu comme les anges et de le célébrer liturgiquement à l'image du culte qu'il célèbre lui-même avec les anges. C'est donc plus qu'un retour des hommes à l'état de communion avec Dieu antérieur à la chute. À chaque célébration eucharistique, c'est vraiment à la liturgie du ciel que l'on participe.

L'hymne des chérubins, qu'autrefois seuls les célébrants chantaient pendant la grande Entrée — ce qui explique que les anges portent leurs ornements —, dit ceci : « Nous qui sommes mystiquement l'icône des chérubins et chantons à la vivifiante Trinité l'hymne trois fois sainte, déposons toute préoccupation terrestre pour accueillir le Roi de toutes choses, invisiblement escorté des troupes angéliques. Alléluia. »

3. LES ÉTAPES DE LA RÉVÉLATION apparaissent dans l'organisation de la coupole, de haut en bas :

Les anges ;

Les prophètes ou les patriarches de l'ancienne alliance ;

Les apôtres, témoins de l'incarnation et de l'ordre nouveau qu'elle inaugure ;

Les quatre évangélistes enfin, sur les quatre trompes de la coupole. Ils ont annoncé au monde le lien de la terre avec le ciel qu'a établi la vie du Christ : le salut en Jésus-Christ.

4. LE MANDYLION — ou image du Christ non peinte de main d'homme — est régulièrement représenté depuis le XIIᵉ siècle sous le tambour de la coupole, à l'endroit où il rejoint la voûte de l'abside et le cube de la nef, où donc se touchent le ciel et la terre.

LES VOÛTES. L'ÉCONOMIE DU SALUT

Cinq rangées de fresques ou mosaïques peuvent être alignées de haut en bas, sur les voûtes et les murs :

Au sommet sont dépeints l'ensemble des *événements majeurs de la vie du Sauveur,* ce qui correspond à peu près aux grandes fêtes liturgiques. Le cycle est rarement complet et des variantes existent selon les coutumes locales. On évite aussi de doubler des scènes déjà utilisées ailleurs, par exemple pour la décoration du sanctuaire.

D'autres épisodes évangéliques que ceux qui sont célébrés par des fêtes liturgiques peuvent aussi être rencontrés, dans la mesure où ils sont liés à la rédemption et sont donc actualisés sacramentellement lors de chaque liturgie.

Un cycle des miracles du Christ occupe la rangée située sous celle des fêtes.

Les paraboles de l'Évangile peuvent aussi se développer en dessous s'il y en a la place.

Les scènes moins importantes sont disposées sous les épisodes fondamentaux qui sont mis en valeur par leur position et le rapport établi entre eux. L'ensemble constitue comme une sorte d'anamnèse en images.

Les représentations des saints, dans la zone inférieure, expriment dans toute leur diversité la réponse des hommes au dessein salvifique de Dieu et leur communion actuelle dans la prière avec la communauté des fidèles d'aujourd'hui. Ils sont juxtaposés, en pied. On peut en trouver des rangées supplémentaires, alors en buste dans des médaillons dits *clipei*, alignés au-dessus de la rangée principale ou décorant arcades et piliers.

La Dormition de la Mère de Dieu orne le fond de la nef, souvent flanquée d'autres fêtes mariales comme sa Nativité ou son Entrée au Temple. La Vierge est comme le reflet du Christ admiré dans l'Église.

Le Jugement dernier décore le fond et, souvent, les voûtes du narthex.

EN RÉSUMÉ

L'ABSIDE est un lieu théophanique qui résume l'économie du salut dans le Christ par la Vierge de l'Incarnation et présente l'Eucharistie instituée par le Christ et dont le collège épiscopal poursuit la concélébration.

La COUPOLE représente le Ciel invisible d'où surgit la vision du Christ icône du Père se révélant aux créatures.

La NEF développe les étapes de la révélation dans l'histoire et la réponse que les hommes lui ont apportée.

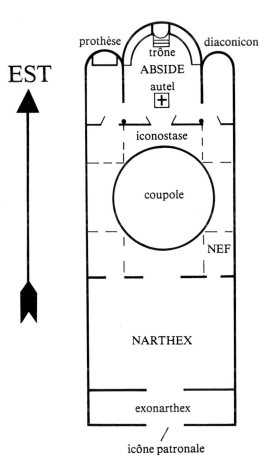

prothèse diaconicon

trône

EST

ABSIDE

autel

iconostase

coupole

NEF

NARTHEX

exonarthex

icône patronale

CYCLES SECONDAIRES ET MOUVANTS

Ils illustrent dans les bas-côtés, le narthex, les galeries, des événements analogues regroupés : miracles, martyres, etc. Ils racontent aussi d'autres récits dans un ordre chronologique, par exemple la jeunesse de la Vierge, des vies de saints, l'office de l'acathiste, les conciles, particulièrement au narthex où étaient affichés les décrets impériaux en matière religieuse, etc.

L'ICONOSTASE

L'iconostase est une cloison d'icônes dressée entre le sanctuaire (le ciel) et la nef (la terre). Elle est percée de portes, doublées au milieu d'un rideau.

SIGNIFICATION

Dans la Tente du désert, puis dans le Temple de Jérusalem, la mise à part du Saint des Saints est d'origine divine (Ex 25, 9 ; 26, 31-34). Selon Hébreux 9, l'entrée du Christ au ciel à travers le voile de sa chair accomplit la figure que constituait dans l'Ancienne Alliance l'entrée du grand prêtre dans le Saint des Saints. La célébration liturgique actualise cette Pâque du Seigneur que les officiants miment, en quelque sorte.

L'iconostase est un moyen de séparation fondé sur la différence radicale qu'il y a entre Dieu et l'homme. Elle exprime le besoin d'une distance révérencielle et une certaine crainte devant le Christ Créateur, Maître du monde et Juge consubstantiel au Père.

L'Évangile écouté et l'Eucharistie reçue appellent un discernement évoqué par le Jugement, en même temps qu'ils déclenchent une intercession plus ardente en union avec les saints représentés afin qu'au second avènement du Christ tous soient sauvés en devenant un seul corps avec lui. Dans l'exécution des rites liturgiques, cette séparation est mise au service de la communication entre le clergé et les fidèles selon une mise en scène quasi théâtrale, pour un drame mystique et vivant.

L'iconostase manifeste surtout l'interpénétration de l'éternel et du temporel à travers la chair divino-humaine du Christ récapitulant l'histoire : attendu et conçu à travers tout l'Ancien Testament (cf. les généalogies de Matthieu et de Luc), advenu « à la plénitude des temps » (Ga 4, 4), présent ici et maintenant tel qu'en son deuxième avènement, lorsqu'il aura accompli toute l'économie divine.

En outre, elle permet de contempler le Christ à l'endroit même où il se communique aux fidèles sous forme de nourriture.

Enfin, l'intérêt de nombre de fidèles est aiguisé par le fait qu'on voile plus ou moins l'action sacrée.

HISTOIRE

Sur un monument épigraphique de Rome datant du IIIe siècle, on voit une défunte en orante au seuil d'une cloison formée d'un portique à colonnes dont les chapiteaux supportent une architrave. Au centre, une ouverture avec deux marches permet de passer. De part et d'autre, un cancel ajouré remplit la partie inférieure de la travée. Sur le cancel, des chandeliers. De l'architrave pendent des rideaux relevés.

Sur l'architrave ou le cancel, il était aisé de placer des icônes peintes ou même sculptées comme à Sainte-Sophie de Constantinople (VIe siècle), à la basilique constantinienne de Saint-Pierre de Rome — quand Hadrien Ier fit placer d'un côté le Sauveur entre Michel et Gabriel, et de l'autre la Vierge entre les saints André et Jean l'Évangéliste (VIIIe siècle) —, à Saint-Marc de Venise.

On pense qu'à partir du triomphe de l'orthodoxie (Nicée II, 787), l'icône du Seigneur a régulièrement été fixée à l'architrave, et d'autres icônes facilement ajoutées. Le Christ et la Vierge ont vite été répartis sur les piliers, de chaque côté de l'ouverture centrale, l'intervalle entre les colonnes de la cloison restant libre. L'architrave demeurait relativement basse et n'empêchait pas de voir la décoration de l'abside.

À partir du XIe siècle, des icônes représentant le Christ avec des saints, ou de grandes fêtes, ou la vie du patron de l'église, commencèrent à être fixées à un panneau ornant le sommet de l'architrave ; on les nomme « épistyles ». On estime que c'est en Serbie que des monastères ont commencé à placer des icônes entre les colonnes de la cloison du sanctuaire.

Les Russes, d'abord sous l'influence de moines serbes ou bulgares fuyant les Turcs dès la fin du XIVᵉ siècle, créent la haute iconostase compacte, qui depuis a eu tendance à se répandre dans l'ensemble des églises de tradition byzantine.

Parmi les éléments qui ont amené ce développement de l'iconostase, on peut mentionner :

L'abondance du bois comme matériau ;

L'habitude de placer haut de plus grandes icônes sur les clôtures du sanctuaire ;

Le désir de mettre en évidence — ce qui avait déjà été fait dans la pierre des murs extérieurs de certaines églises — des représentations du Royaume de Dieu correspondant à un élan national et religieux du peuple menacé par les Tatars et que Moscou, conquérant son hégémonie politique et religieuse, voulait mener à la victoire définitive. Celle-ci était devenue possible depuis la victoire de Koulikovo remportée en 1380 par Dimitri Donskoj avec l'appui de l'Église, et spécialement de saint Serge de Radonège.

DESCRIPTION

L'ICONOSTASE RUSSE À CINQ RANGÉES

Au sommet, *la Croix,* icône par excellence, souvent avec la Vierge Marie et Jean l'Évangéliste.

1. *Les patriarches* de l'ancienne alliance, d'Adam au don de la Loi, tournés vers la Trinité de l'Ancien Testament (c'est l'hospitalité d'Abraham ; on trouve parfois la « Paternité », interdite en principe). Dieu s'est révélé mystérieusement à nos Pères.

2. *Les prophètes,* à partir de Moïse, sont tournés vers la Vierge « Platytera » pour annoncer l'incarnation de Dieu le Verbe. Les rangées 1 et 2 peuvent éventuellement être confondues.

3. *Les fêtes :* c'est le Nouveau Testament, le temps de la grâce exposé à travers les plus caractéristiques des actes salvateurs de la vie du Christ. Les icônes de cette rangée sont alignées dans l'ordre de l'année liturgique ou de l'histoire.

4. *La déisis* (supplication). Cette composition, qui remonte au moins au VIIe siècle, comporte au centre le Christ trônant en juge lors de son retour eschatologique. La Mère de Dieu et Jean le Précurseur surtout, les archanges Michel et Gabriel, les apôtres, etc., l'entourent et expriment la prière de l'Église pour le monde dans l'unité du corps mystique du Sauveur.

Souvent, l'icône du Christ trônant de la déisis est monumentale et les autres icônes de la composition sont à la même échelle, mais avec des personnages en pied. C'est d'ailleurs principalement par cette rangée qu'a commencé le développement particulier de l'iconostase russe, à partir de la décoration en 1405 par Théophane le Grec de la cathédrale de l'Annonciation, construite au Kremlin de Moscou de 1395 à 1416 par Basile Ier, fils de Dimitri Donskoj.

Le Christ souverain et sauveur sollicité par ses familiers et ses sujets représentait un modèle divin que reproduisait le prince, à la fois comme image du Christ Seigneur et comme suppliant intercédant pour le salut de la nation et rendant grâce avec son peuple pour les premières victoires accordées par Dieu sur la Horde d'Or.

La représentation sur cette rangée des saints patrons des princes moscovites constitue la sanction divine à l'hégémonie de Moscou et rend hommage à ceux qui ont sauvé la Chrétienté en unifiant la Russie autour de Moscou.

5. *Le rang local* de part et d'autre des portes saintes : le Christ à droite, la Vierge à gauche, l'icône patronale... Si cette rangée est la seule, elle reconstitue souvent la déisis.

LES PORTES

Au centre de l'iconostase, *les portes saintes* à double battant donnent directement sur l'autel. On y voit, avec la même signification que dans le programme d'ensemble de l'église : l'Annonciation, les quatre évangélistes, les Pères liturges Basile le Grand et Jean Chrysostome, la communion des apôtres et/ou la Cène, au-dessus des portes.

À gauche et à droite, *les portes diaconales* s'ouvrent respectivement sur la prothèse et le diaconicon ; ce sont les portes nord et sud. On peut y trouver l'image des archanges Michel et Gabriel qui servent Dieu, gardent le paradis et participent à la divine liturgie ; ou bien les diacres Étienne et Laurent ; enfin le bon larron, le premier à être entré au paradis. Bien sûr, on peut trouver un ange sur une porte et un diacre sur l'autre, ou le larron.

EN RÉSUMÉ

Une SÉPARATION : la cloison (origine historique).

Une COMMUNION : les icônes (surtout après Nicée II).

Une DÉMARCHE SPIRITUELLE : le fidèle entre dans le Royaume du Dieu Saint à travers le voile de la chair du Christ (He 10, 20) en devenant un seul corps (CΎCCΩMA, *syssoma ;* Ep 3, 6) avec celui qu'il contemple sur l'icône et qu'il reçoit dans l'Eucharistie.

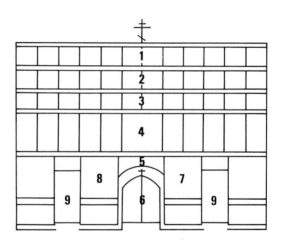

1. Rang des ancêtres ; 2. Rang des prophètes ; 3. Rang des fêtes ; 4. Rang de la déisis ; 5. La Cène ou la Communion des apôtres ; 6. L'Annonciation, les évangélistes, les évêques ; 7. Le Christ ou la fête du Christ qui serait patronale ; 8. La Vierge ou la fête de la Vierge qui serait patronale ; 9. Archange, diacre ou larron.

III

НЕРУ҃ОТВОРЕННЫЙ ѠБРАЗ ГА̃БЦ

4.

L'ICÔNE NON FAITE DE MAIN D'HOMME :
LA SAINTE FACE DU SEIGNEUR
(16 août)

En grec : ʹΗ ἈΧΕΙΡΟΠΌΙΗΤΟC ἘΙΚ ΩΝ
Hê acheiropoiêtos eikôn

En slavon : НЕРУКОТВОΡ (ЁН) НСЫЙ ОБРАЗ
Nerukotvor (en) nyj obraz

On parle aussi fréquemment du MANDYLION, c'est-à-dire du linge supportant l'image :

En grec : ΤΌ ΜΑΝΔ ΉΛΙΟΝ
To mandêlion

En slavon : ΎБРΎC
Ubrus

ORIGINE, SOURCES, LITURGIE

L'ÉCRITURE

De façon suggestive, Marc (14, 58) nous introduit dans la signification que revêt l'expression « non fait de main d'homme » : « En trois jours, dit Jésus, je rebâtirai un autre [Temple] qui sera non fait de main d'homme. » Jean (2, 21) explique : « Il parlait du Temple de son corps. »

Le corps du Seigneur est déclaré d'origine divine, et pourtant corps bien corporel. Le mystère de l'Incarnation reçoit ici un témoignage important qui concerne immédiatement l'iconographie : Dieu se fait saisissable et représentable dans le corps de Jésus-Christ.

L'icône non faite de main d'homme est donc supposée avoir Dieu pour auteur. Elle manifeste de façon décisive et exemplaire que Dieu s'est incarné en Jésus-Christ, que l'on peut faire des images de lui, les reproduire et les vénérer comme des signes de sa présence au milieu des hommes.

LA LITURGIE

1. TEXTES

Le 16 août, l'Église commémore le transfert de l'icône du Christ non faite de main d'homme — c'est-à-dire le saint mandylion — d'Édesse à Constantinople. Voici les textes bibliques lus au cours des offices de ce jour :

Aux vêpres

Deutéronome 4, 6-7 ; 9-15 : « À l'Horeb [...], vous n'aperceviez aucune forme, rien qu'une voix. »

Deutéronome 5, 1-7 ; 9-10 ; 23-26 ; 28 ; 6, 1-5 ; 13 ; 18 : « Tu ne te prosterneras pas devant ces images ni ne les serviras, car moi, le Seigneur ton Dieu, je suis un Dieu jaloux. »

1 Rois 8, 22-23 ; 27-30 : « Dieu habiterait-il vraiment avec les hommes sur la terre ? [...] Quand ils te prieront en ce lieu, Toi, écoute du lieu où tu résides, au ciel. »

À la liturgie

Colossiens 1, 12-18 : « Il est l'image du Dieu invisible. »

Luc 9, 51-56 ; 10, 22-24 ; 13, 22 : « Heureux les yeux qui voient ce que vous voyez. »

Ces lectures montrent d'abord Dieu dans son absolue transcendance, ce qui implique qu'il est impossible de le circonscrire sans s'illusionner ou s'adonner en fait à l'idolâtrie. Cela fait ressortir la nouveauté formidable annoncée dans le Nouveau Testament :

ce Dieu a un Fils semblable à lui, Jésus de Nazareth, qui a vécu en tout comme un homme, se faisant voir et toucher.

2. LES HYMNES LITURGIQUES

« Nous qui sommes terrestres, de quelles mains toucherons-nous ton icône, ô Verbe, celle du Dieu sans péché, du Seigneur inaccessible, alors que nos fautes font de nous des êtres impurs et souillés ? Les chérubins se couvrent le visage en tremblant ; les séraphins ne peuvent supporter ta gloire ; c'est dans la crainte que te sert la création. Ô Christ, ne nous condamne donc pas si, bien qu'indignes, nous embrassons dans la foi ta redoutable figure. » *(Stichère du lucernaire.)*

« [...] Celui qui siège dans les hauteurs nous visite à présent à travers son image sacrée ; celui qui en haut demeure invisible aux chérubins se laisse voir en ses traits que l'image reproduit, puisque le Père l'a ineffablement formé à sa ressemblance de son doigt immaculé. Nous prosternant devant elle avec foi et amour, nous sommes sanctifiés. » *(Stichère du lucernaire.)*

« Le Dieu par nature sans changement, l'exacte description du Père, prenant la chair des mortels, sur terre nous laissa ses propres traits lorsqu'il remonta vers les cieux. » *(Matines, ode 1.)*

« Celui qui donne à tout mortel d'exister s'étant merveilleusement incarné en ton sein, ô Vierge très pure, s'est laissé voir sans quitter ce que d'abord il était. » *(Matine, ode 1.)*

« Roi de tous qui ne possèdes ni sceptre ni armée, mais qui par ta parole produis des miracles nombreux, sachant cela, le roi d'Édesse te pria, Dieu-homme, de venir près de lui. Mais à la vue de ton image il s'écria : "Tu es mon Dieu et mon Seigneur." » *(Cathisme de la 3e ode.)*

« Ton accueil, ô Christ, fut préparé d'avance dans la petite cité que délivrent des maladies l'arrivée de Thaddée, la lettre écrite de ta main et l'empreinte de ton visage divin. » *(Ode 5.)*

« Vivant, sur le suaire imprima son visage
celui qui dans la mort fut couvert du suaire.
La brique faite de main d'homme porte ton image non faite de main
[d'homme,
ô mon Christ qui as tout fait. » *(Synaxaire.)*

« Ineffable et divine est ton économie envers les hommes, ô Verbe incirconscrit du Père. Confessant triomphalement ta véritable incarnation, nous entourons d'un cortège en la vénérant l'icône qui n'a pas été dessinée, mais tracée par Dieu. » *(Kondakion, ton 2.)*

Ces textes confessent l'incarnation du Fils de Dieu qui rend possible sa vénération dans une icône et la réalisation de copies de cette icône. Ils contiennent aussi des allusions à la légende du roi Abgar.

LA LÉGENDE D'ABGAR

Cette légende consiste d'abord en un échange de correspondance, rapporté au IVᵉ siècle par Eusèbe de Césarée dans son *Histoire ecclésiastique* (liv. I, chap. XIII), entre le roi d'Édesse — à
présent Urfa en Turquie — et Jésus. Eusèbe dit se baser sur un
document syriaque des archives aujourd'hui perdues de la ville
d'Édesse. Malade, Abgar, qui a entendu parler de la puissance du
« Bon Sauveur », lui demande de venir le guérir et même de rési-
der à Édesse puisque les Juifs lui veulent du mal. Jésus renvoie le
courrier Ananias avec sa réponse : il ne se rendra pas chez Abgar
mais, après son « élévation » (c'est-à-dire sa passion et son entrée
dans la gloire), il enverra un disciple qui le guérira.

Au Vᵉ siècle, il est en outre question d'une bénédiction donnée
par Jésus à Édesse, et dont témoigne en particulier la pèlerine
Éthérie : jamais la ville ne sera investie par l'ennemi.

À la fin du VIᵉ siècle, Evagre le Scolastique mentionne pour la
première fois l'icône non faite de main d'homme à l'occasion du
récit du siège de la ville d'Édesse par les Perses en 544. Projetée
sur les fortifications ennemies, l'eau qui avait touché l'icône les
enflamme.

Depuis ce moment, la tradition de cette image non faite de
main d'homme — *acheiropoïète* — se répand et s'introduit dans
la légende d'Abgar, devenant particulièrement utile dans la lutte
contre l'iconoclasme. C'est d'ailleurs ainsi que saint Jean Damascène vient à l'évoquer dans son ouvrage exposant « La foi orthodoxe » (liv. IV, chap. XVI) : « Abgar, roi de la ville d'Édesse, avait
envoyé un peintre pour faire un portrait du Seigneur et il n'y arri-
vait pas parce que son visage brillait d'un éclat insoutenable ; le
Seigneur couvrit son divin visage de son manteau et celui-ci se
trouva reproduit sur le manteau qu'il envoya à Abgar qui le
demandait. »

Une version plus tardive, la « Doctrine d'Addaï », ajoute que
l'envoyé du roi, l'archiviste Hânon, qui était aussi peintre, exé-
cuta un portrait de Jésus qu'il rapporta à Édesse. Ravi, son maître
le plaça à un endroit de choix. Il faut aussi noter qu'ici il n'y a pas
de lettres mais des messages oraux transmis par Hânon, messages
tout de même consignés par écrit après son retour.

En 945, Constantin Porphyrogénète fait écrire une homélie de fête sur l'image arrivée le 15 août précédent à Constantinople. Cette œuvre, qui se veut le résultat d'une enquête historique sur le mandylion depuis sa venue à l'existence jusqu'à son arrivée à Constantinople, reprend la légende d'Abgar en ajoutant qu'il est possible que l'image se soit formée à partir de la sueur de sang versée par le Christ à Gethsémani (Lc 22, 44). Elle raconte encore comment Abgar avait fait placer l'image au-dessus de l'une des portes d'Édesse pour qu'elle y remplace la statue païenne qui la gardait ; comment, le petit-fils d'Abgar redevenu païen, l'évêque fit emmurer le mandylion dans sa niche, et comment, sur une révélation, lors du siège d'Édesse par le Perse Chosroês en 544, on fit rouvrir cette cachette pour retrouver l'image intacte avec une brique portant aussi l'image du Seigneur ainsi qu'une lampe à huile toujours allumée.

L'HISTOIRE

Ian Wilson, dans son étude très approfondie sur « Le suaire de Turin », estime que l'image d'Édesse non faite de main d'homme est la même chose que ce suaire. Il reconstitue ainsi l'essentiel de son histoire :

Peu après la crucifixion du Christ, l'un des soixante-dix disciples, Addaï ou Thaddée, se rend à Édesse muni du suaire trouvé dans le tombeau de Jésus. Le suaire est plié de manière à ce que soit seule visible l'empreinte du visage et qu'ainsi sa nature de linge ayant touché un mort et dont le contact rendrait « impur » soit dissimulée. Le roi Abgar V, toparque d'Édesse, est alors guéri d'une maladie et devient chrétien.

Vers 57, M. VI persécute les chrétiens. Le suaire est caché dans le rempart voûté au-dessus de la porte ouest de la ville.

Vers 177, sous Abgar VIII, la foi chrétienne est à nouveau tolérée mais ce qui concerne le fameux portrait devient flou et les récits se concentrent sur une correspondance échangée entre le Christ et Abgar V.

En 525, une inondation sans précédent détruit Édesse. Au cours des travaux, d'une ampleur exceptionnelle, entrepris avec l'aide des Byzantins pour reconstruire la ville, on découvre dans une niche le linge identifié aussitôt comme étant le portrait apporté à Abgar, ainsi qu'une brique portant aussi cette image et la lampe à huile attestant la vénération de ceux qui avaient caché les objets. Cette brique, le *keramion* cité au Synaxaire, devait avoir été placée sous le portail, à la manière parthe, à la place des têtes de divinités ou de gorgones qui gardaient l'accès de la cité.

Sous son revêtement, le linge n'est pas identifié comme suaire et on le nommera simplement « mandylion ». On construit pour lui la nouvelle cathédrale Sainte-Sophie d'Édesse.

C'est à partir de cette période que le Christ est représenté de face et avec un ensemble de caractéristiques portraitiques remarquable, spécialement dans l'art byzantin.

En 944, le mandylion, ayant été acheté par le général byzantin Curcuas, quitte Édesse pour Constantinople, dont il devient le principal palladium.

Empereur en janvier 945, Constantin Porphyrogénète frappe une monnaie d'or commémorant l'arrivée du mandylion. Le Christ en majesté y figure de face. Il décide en outre que le 16 août sera le jour de fête du mandylion.

Différents témoignages indiquent que le linge a été démonté de son cadre et déployé toujours en très petit comité. Malgré tout, on s'en tient officiellement à la légende d'Abgar.

Racontant la visite d'Amaury Ier de Jérusalem à Manuel Ier Comnène, en 1171, Guillaume de Tyr dit que l'empereur « ordonna d'exposer [...] le suaire *(sindon)* » de Jésus-Christ. Pour la première fois, le mot est prononcé.

En 1201, Nicolas Mesarites protège la chapelle de Pharos en criant à la foule insurgée qu'elle contient « le suaire avec les linges de sépulture ».

En 1203, Robert de Clari raconte que les expositions du suaire ont lieu tous les vendredis aux Blachernes.

En 1204, les croisés mettent Constantinople à sac et le linge disparaît.

L'ICONOGRAPHIE

Dès le VIe siècle, des copies du mandylion retrouvé ont été exécutées, qu'on estimait miraculeuses par le seul fait d'avoir été mises au contact de l'original. Aucune de celles qui ont pu être réalisées avant le transfert du mandylion à Constantinople ne nous est parvenue. On sait pourtant, par exemple, que l'image non faite de main d'homme figurait au VIIe siècle sur l'étendard militaire byzantin. En 622, Héraclius la porte lui-même et la montre à ses troupes avant la bataille contre les Perses. Depuis, l'icône protectrice a souvent figuré sur bannières et étendards de bataille, jusqu'à nos jours.

Parmi les représentations faites avant la disparition du mandylion de Constantinople en 1204, notons d'abord la fameuse icône conservée à la cathédrale de Laon (France). Peut-être exécutée en Bulgarie dès la fin du XIe siècle, elle fut donnée en 1249 à l'abbesse du monastère cistercien de Montreuil-les-Dames par son frère, le futur pape de Rome Urbain IV, qui l'avait rapportée d'Italie.

Citons aussi la belle icône de l'école de Novgorod datée du XIIe siècle et conservée à la galerie Tretiakov de Moscou.

C'est depuis ce XIIe siècle que le mandylion est régulièrement représenté sous le tambour de la coupole des églises, à l'endroit où se touchent le ciel (la coupole et l'abside du sanctuaire) et la terre (le cube de la nef). Il revêt d'ailleurs à cet endroit une signification eucharistique, car il montre la forme humaine incréée de celui qui se rend réellement mais invisiblement présent dans le mystère eucharistique.

C'est ainsi que l'église de Spas-Neredica, bâtie en 1198 non loin de Novgorod mais détruite depuis la dernière guerre, présentait à cette même époque une fresque de l'icône non faite de main d'homme.

Il faut remarquer avec Ian Wilson que, jusqu'à la disparition du mandylion de Constantinople, l'icône acheiropoïète est représentée comme sur un tissu horizontalement rectangulaire et tendu, décoré d'une frange, avec un motif de fond évoquant un treillage s'arrêtant à l'auréole. Tout cela pourrait bien être une imitation du cadre orné qui protégeait le précieux linge tout en empêchant de réaliser sa nature exacte.

À partir du XIIIe siècle, quelques années après le vol de la relique, le mandylion est représenté accroché ou porté par des anges comme un linge sans consistance particulière, souple et dorénavant orné de plis.

Le premier exemple en est la fresque du monastère serbe de Sopočani (XIIIe siècle).

Il peut arriver que le linge soit absent ; c'est alors une allusion à la brique découverte à Édesse à côté du mandylion.

DESCRIPTION

Les images reproduisant l'icône non faite de main d'homme sont ordinairement revêtues de caractéristiques communes, malgré l'aspect imprécis de l'original supposé : le suaire de Turin.

Entouré du nimbe crucifère et des inscriptions habituelles propres à l'identification de l'image — ĪC X̄C et Ὁ Ὥ N —, le visage du Seigneur apparaît donc seul, de face, sans trace de cou ni de corps, sur un linge de couleur blanc ivoire qui peut être sobrement orné. Les traits du visage sont réguliers, et ses joues sont accentuées. Aucune marque physique de la Passion n'est visible. Les couleurs utilisées varient du sépia (brun très foncé) au brun rouille, quoique avec le temps les artistes aient souvent cherché à ajouter de sobres taches de couleur.

La chevelure est ordonnée symétriquement de part et d'autre d'une raie centrale pour s'achever en tresse de chaque côté, ou bien en deux ou trois mèches effilées : les natures divine et humaine du Christ et la Trinité, selon une habitude plus tardive. Quant à la barbe, elle forme deux pointes. Dans la tradition russe, elle est souvent comme mouillée par allusion à la version finale de la légende d'Abgar, ce qui explique son appellation de « *Spas mokraja boroda* », c'est-à-dire « Le Sauveur à la barbe mouillée ». Ce trait rejoint l'observation souvent faite dans l'histoire d'un certain caractère aqueux, flou, du mandylion.

Le Sauveur est dépeint vivant, les yeux grands ouverts, selon les larges cercles blancs du mandylion original. Il dirige un regard particulièrement pénétrant, qu'il soit dur ou rempli de douceur, vers la droite, ou la gauche, ou encore en face de lui.

*

Voilà comment se transmet aux croyants l'image du Fils de Dieu venu dans la chair, à partir de l'image primitive du mandylion d'Édesse, vraisemblablement le suaire qui a enveloppé le Seigneur Jésus au tombeau.

Persuadés par ce témoignage de la réalité de son incarnation, et par conséquent de la réalité du salut qu'il nous a obtenu par sa mort, sa résurrection et son ascension, nous pouvons espérer à bon droit être rendus participants de sa divinité.

IV

5.

LA CONCEPTION DE SAINTE ANNE
QUAND ELLE CONÇUT LA MÈRE DE DIEU
(9 décembre)

En grec : Ἡ ϹΥΛΛΗΨΙϹ ΤῆϹ ἉΓΙΑϹ ἈΝΝΗϹ
Hê sullèpsis tès hagias Annès

En slavon : ЗАЧА́ТИЕ СВЯ́ТЫЯ ’А́ННЫ
Začatié svjatyja Anny

Cette fête, qui remonte au VIIIᵉ siècle en Orient, est placée neuf mois avant la célébration de la naissance de la Vierge, de la même façon que l'Annonciation est fêtée le 25 mars à neuf mois de la nativité du Christ le 25 décembre ou que la conception du Précurseur Jean-Baptiste l'est le 23 septembre en fonction de sa nativité fixée au 24 juin.

Cette célébration a été introduite en Occident au IXᵉ siècle et s'y est répandue plus tardivement.

LA NATIVITÉ DE LA MÈRE DE DIEU
(8 septembre)

En grec : ΤΌ ΓΕΝΈΘΛΙΟΝ (ou : ʽΗ ΓΈΝΝΗCΙC) ΤῊC ΘΕΟΤΌΚΟΥ
To genethlion (ou : Hê gennèsis) tès Theotokou

En slavon : РОЖДЕСТВО́ БОГОРО́ПИЧI
Roždestvo Bogorodicy

ORIGINE, SOURCES, LITURGIE

La Nativité de la Vierge Marie est la première des douze grandes fêtes de l'année liturgique, qui commence le 1er septembre et s'achève sur la principale fête mariale : la Dormition. Elle a pour origine la dédicace, à Jérusalem, de l'église de la piscine probatique, près de laquelle on situe traditionnellement la maison de sainte Anne. Constantinople adopte au VIe siècle cette fête, qui entre à Rome sous le pape sicilien Serge Ier (687-701).

LES SOURCES

La Conception et la Nativité de la Vierge sont évidemment absentes des Écritures canoniques, mais que le fait soit nécessairement arrivé n'a pas besoin de démonstration !

La partie ancienne du Protévangile de Jacques, apocryphe de la première moitié du IIe siècle, raconte l'enfance de la Vierge de façon bien sûr légendaire et merveilleuse dans le but de révéler qui elle est vraiment. La légende est donc ici une sorte de roman théologique. Les noms de Joachim et d'Anne ont peut-être eux-mêmes été choisis pour leur signification symbolique de « Grâce » et de « Préparation du Seigneur » (forme d'Eliachim, diminutif d'Élie).

Les événements exposés par le Protévangile dans la partie qui nous concerne se succèdent ainsi :

Anne déplore sa stérilité, qui va jusqu'à faire refuser l'offrande de Joachim par le grand prêtre Zacharie (le père de Jean-Baptiste).

Les époux qui implorent le Seigneur de leur ôter la honte de la stérilité, l'un parmi ses troupeaux et l'autre dans son jardin, sont tous deux visités par un ange qui leur annonce la joie d'une naissance prochaine.

Anne et Joachim accourent l'un vers l'autre et se rencontrent devant la porte Dorée. C'est l'objet de la célébration du 9 décembre.

Anne enfante Marie, la Mère de Dieu : c'est la fête du 8 septembre.

On assiste ensuite à ses premiers pas, aux prophéties et à la bénédiction dont elle est l'objet de la part des prêtres, à son entrée au Temple célébrée le 21 novembre, etc.

Le baiser des justes Joachim et Anne à la porte Dorée.
(Dessin d'après une fresque de l'église du Roi à Studenica.)

LA LITURGIE

L'hymnographie et l'iconographie, parfois en des cycles complets, comme à la Kahrié Djami de Constantinople, ont exploité cette tradition très ancienne, plus ou moins calquée sur l'enfance même du Seigneur (Annonciation, Nativité, Présentation) ainsi que sur la conception miraculeuse des femmes des trois patriarches : Abraham (Sara, Gn 11, 30), Isaac (Rébecca, Gn 25, 21), Jacob (Rachel, Gn 30) ; d'Anne, la mère de Samuel (1 S 2, 1-11) ; enfin, dans l'Évangile, d'Élisabeth (Lc 1, 7).

Ainsi sont mises en valeur l'élection gratuite et la grâce féconde de Dieu, et les textes liturgiques exaltent inlassablement la venue au monde de celle qui va devenir la Mère de Dieu et en qui se réalise donc déjà le salut de l'humanité.

POUR LE 9 DÉCEMBRE

« L'échelle est maintenant dressée : par elle descendra le Seigneur et Créateur pour hisser le genre humain ; Ciel, avec les anges réjouis-toi ; se réjouisse avec l'entière création le genre humain par la grâce déifié. » *(Matines, ode 9.)*

« Le nouveau ciel, c'est Anne qui dans son sein le construit sur l'ordre de Dieu créateur : de lui s'est élevé le soleil sans couchant, illuminant de ses rayons divins le monde entier dans son grand amour du genre humain et sa miséricorde infinie. » *(Matines, cathisme 1.)*

« Adam, voici ton renouveau ; Ève, exulte de joie : la terre sèche et sans eau a produit le plus beau de tous les fruits, celui qui pour le monde fait pousser le froment de l'immortalité, celui qui met fin à l'infamante stérilité. Avec eux, en ce jour, exultons d'allégresse, nous aussi. » *(Matines, cathisme.)*

POUR LE 8 SEPTEMBRE

« Venez, tous les croyants, courons vers la Vierge. Voici que naît celle qui, avant sa conception, fut prédestinée pour être la Mère de notre Dieu, le joyau de la virginité, le bâton fleuri d'Aaron, issue de la racine de Jessé, l'oracle des prophètes et le rejeton des justes Joachim et Anne. Elle vient donc au monde et avec elle le monde est renouvelé. Elle naît et l'Église revêt sa beauté. Elle est le temple saint, la demeure de la divinité, l'instrument virginal, la chambre royale où s'est accompli l'étonnant mystère de l'union ineffable des natures qui se rejoignent dans le Christ. Adorons-le et chantons l'immaculée naissance de la Vierge. » *(Stichère du lucernaire.)*

« Ô Immaculée, à ta sainte naissance, Joachim et Anne ont été délivrés du déshonneur de la stérilité, Adam et Ève de la corruption de la mort. Ton peuple, qui fête lui aussi cette naissance, libéré qu'il est du poids du péché, s'écrie vers toi : Celle qui était stérile a mis au monde la Mère de Dieu, la nourricière de notre vie. » *(Kondakion.)*

L'ICONOGRAPHIE

POUR LE 9 DÉCEMBRE

La « Conception de la Mère de Dieu » est très simple : Joachim et Anne, accourus l'un vers l'autre à la suite de l'annonce angélique qu'ils engendreraient, se rencontrent devant la porte Dorée de Jérusalem. Le baiser qu'ils se donnent signifie la conception de leur enfant, selon les observations de A. Grabar. Le voile tendu au-dessus de la porte Dorée signale que la scène se passe en fait à l'intérieur.

Outre le titre donné en commençant, cette composition peut porter l'une des inscriptions suivantes :

LE BAISER DE JOACHIM ET ANNE (en grec : Ὁ ἈСΠΑСΜῸС ᾽ΙΩΑΚΕῚΜ ΚΑῚ ἈΝΝΗС, *Họ aspasmos Iôakeim kai Annès ;* en slavon : ЛОБЗА́НИЕ Ѝ ОАКИ́МА Ѝ А́ННЫ, *Lobzanié Ioakima i Anny) ;*

ou bien : LA RENCONTRE À LA PORTE DORÉE (en slavon : ВСТРЕ́ЧА У ЗОЛОТЫ́Х ВОРО́Т, *Vstreča u zolotyh vorot).*

La même image se rencontre pour la conception de Jean-Baptiste et est admissible plus largement. Elle est cependant exclue en ce qui concerne la Vierge Marie et Joseph, car elle nierait la conception virginale du Christ.

POUR LE 8 SEPTEMBRE

La « Nativité de la Vierge », de même que celle du Seigneur, du Précurseur ou des saints, suit le schéma conventionnel tiré du répertoire ancien des cycles biographiques décrivant l'enfance de héros tels que Dionysos, Mithra, Alexandre, puis, sur les sarcophages, de défunts. Ce répertoire comporte naissance, bain de l'enfant, jeux, éducation.

On voit habituellement sainte Anne assise ou étendue sur son lit. Elle accuse la fatigue de l'accouchement qui vient d'avoir lieu en portant la main à la joue tandis qu'une servante l'évente. Des amies viennent la féliciter et lui apportent des cadeaux.

Des sages-femmes baignent dans un bassin le bébé que les lettres M̃P ϴY identifient comme la Mère de Dieu. Un peu plus loin, on la voit couchée dans son berceau. Dans ses langes, elle évoque le nouveau-né que viendra chercher le Christ lors de la Dormition : l'âme de sa mère à sa naissance au ciel.

Saint Joachim, époux d'Anne et père de Marie, vient voir sa femme et découvrir sa fille.

La scène se passe dans leur maison, c'est-à-dire, iconographiquement, comme au-devant de celle-ci, dont les toits portent la tenture conventionnelle. La perspective inversée est particulièrement sensible dans l'architecture et le mobilier — aux formes d'ailleurs invraisemblables.

Occasionnellement, les peintres intègrent à la composition les scènes suivantes :

La supplication de Joachim ;

L'annonce par un ange qu'il engendrerait un enfant au destin extraordinaire ;

La rencontre à la porte Dorée ;

Joachim et Anne autour de leur enfant plusieurs mois après la naissance.

V

6.

L'ENTRÉE AU TEMPLE
DE LA TRÈS SAINTE MÈRE DE DIEU
(21 novembre)

En grec : ʹΗ ʹΕΝ ΤΩ ΝΑΩ ΕΊΣΟΔΟΣ ΤῆΣ ʹΥΠΕΡΑΓΊΑΣ
ΘΕΟΤΌΚΟΥ
Hè en tô naô eisodos tès Huperagias Theotokou

En slavon : ВХОД ВО ХРАМ ПРЕСВЯТЫЯ БОГОРО́ДИЦI
Vhod vo hram Presvjatyja Bogorodicy

On peut avoir, au lieu de ВХОД (Vhod), le terme plus ancien
de ВВЕДЕ́НИЕ (Vvedenié) qui signifie « introduction », « présentation ».

ORIGINE, SOURCES, LITURGIE

L'Entrée au Temple de la Mère de Dieu appartient au cycle de
la vie de la Vierge, et plus spécialement de son enfance : elle fait
suite à sa Conception et à sa Nativité de Joachim et d'Anne
(9 décembre et 8 septembre).

Cette fête tire son origine de la dédicace de l'église de Sainte-
Marie-la-Neuve, qui eut lieu à Jérusalem en novembre 543.

De fête patronale en l'honneur de la titulaire de cette église, elle
est devenue l'une des douze grandes fêtes de la tradition byzantine
et se célèbre le 21 novembre. Elle a été introduite en Avignon au
XIVᵉ siècle et ne s'est généralisée en Occident qu'à partir de 1585.

LA TRADITION

Les éléments de la fête ont été fournis par l'écrit apocryphe du Protévangile de Jacques dans un passage datant probablement des années 130-140. Cette tradition raconte que, quand Marie eut trois ans, Joachim et Anne décidèrent d'accomplir le vœu fait avant sa naissance : ils conduiraient leur fille au Temple pour la consacrer au Seigneur. Ils réunirent donc toutes les jeunes filles de Jérusalem qui accompagnèrent Marie avec des flambeaux. Le prêtre Zacharie l'accueillit avec beaucoup de vénération et de joie, et la petite fille s'enfonça jusqu'au Saint des Saints. Elle y demeura jusqu'à son mariage avec Joseph, nourrie par un ange.

Légendaire, ce récit veut exprimer la préparation de Marie à devenir la Mère de Dieu, sa totale consécration à Dieu dès le début de sa vie.

LA LITURGIE

Les textes liturgiques exploitent la légende et chantent, dans une atmosphère de fiançailles, la sainteté joyeuse et limpide de la toute pure qui pénètre sans difficulté aucune dans le Saint des Saints, où repose la gloire divine, comme le soulignent les lectures des vêpres. (Ex 40, 1-5 / 9-10 / 16 / 34-35. 1 R 8, 1-11. Ez 43, 27 ; 44, 4.)

Ils la célèbrent aussi comme étant elle-même une offrande pure déposée sur l'autel pour y être consacrée à Dieu.

Ils annoncent enfin que celle qui pénètre dans le Temple se prépare à devenir dans sa propre chair le vrai temple du Seigneur qui s'incarnera en elle. À un autre niveau, chaque chrétien est d'ailleurs le temple de Dieu : « Votre corps est le temple du Saint-Esprit qui est en vous. » (1 C 6, 19.)

Marie devient l'instrument essentiel du salut apporté par Jésus-Christ :

« Par sa présentation, elle sanctifie toutes choses et divinise la nature déchue des mortels. » *(Stichère du lucernaire.)*

« C'est l'acte divin de tes fiançailles, arrhes de ta maternité inconcevable, ô Vierge pure, qui est écrit en ce jour par le Saint-Esprit dans la maison de Dieu. » *(Tropaire, 5e ode.)*

« Dans le temple saint où, vrai temple divin, tu as été portée toute pure dès l'enfance, accompagnée de torches allumées, tu apparais comme la demeure de l'inaccessible lumière divine. » *(Cathisme de la 2ᵉ stichologie.)*

« Manifestée comme le temple, le palais et le ciel spirituels du Roi, épouse de Dieu, tu es consacrée en ce jour dans le Temple de la Loi pour y être gardée, ô Toute Pure. » *(Tropaire, 4ᵉ ode.)*

« Le jour de joie, l'auguste fête ont resplendi : car en ce jour est présentée au Temple saint celle qui, vierge avant l'enfantement, demeure telle même après ; chargé d'ans, Zacharie, le père du Précurseur, se réjouit et dans l'allégresse s'écrie : ''Voici qu'approche l'espérance des affligés pour être dans le saint Temple, comme sainte, consacrée et devenir la demeure du Roi de l'univers. Se réjouisse l'ancêtre de Dieu Joachim, Anne exulte, puisqu'elle offre au Seigneur à trois ans l'offrande virginale et sans défaut ! Mères, unissez-vous à leur joie, vierges, partagez leurs transports, stériles, exultez vous aussi, car elle ouvre pour nous le royaume des cieux, celle qui est destinée à devenir la reine de l'univers. Peuples, réjouissez-vous et soyez dans l'allégresse.'' » *(Liturgie.)*

L'ICONOGRAPHIE

L'iconographie manifeste visuellement au croyant ce qu'enseignent les textes liturgiques, dans une composition empreinte de joie et de douceur.

MARIE occupe le centre de la représentation. De petite taille — elle n'a que trois ans —, auréolée et identifiée par les lettres M̃P Θ̃Y, elle a déjà ses traits d'adulte et porte les vêtements habituels : la tunique recouverte du maphorion (voile-manteau) aux trois étoiles attestant sa virginité avant, pendant et après son enfantement. C'est que l'icône, comme l'ensemble de la liturgie, est atemporelle ; c'est-à-dire qu'elle veut présenter la Vierge, non seulement dans les limites de l'épisode raconté, mais dans la totalité de son existence.

Elle se dirige seule vers le Temple, en avant de ses parents, les bras tendus et les mains ouvertes dans un geste d'offrande d'elle-même au Seigneur, les pieds souvent sur un escabeau qui souligne sa dignité.

Selon le principe de l'atemporalité, la Mère de Dieu est représentée une deuxième fois au sommet du Temple, en haut d'un escalier monumental, sous une magnifique coupole. C'est le Saint des Saints, qui donne d'ailleurs souvent son nom à l'icône peinte par des Grecs : ΤΑ ΑΓΙΑ ΤΩΝ ΑΓΙΩΝ *(Ta Hagia tôn Hagiôn)*. C'est là qu'elle vit, retirée dans la contemplation et se préparant au rôle qu'elle jouera dans l'histoire du salut.

L'ARCHANGE GABRIEL lui apporte le pain dont elle se nourrit. La tradition a établi un rapprochement entre Marie nourrie par l'ange et Élie qu'avait nourri un corbeau providentiel au torrent de Kerit (1 R 17, 6). C'est pourquoi on voit souvent ce prophète peint dans l'abside du diaconicon avec d'autres représentations à caractère marial.

ZACHARIE correspond au geste de l'enfant. Du haut d'un escabeau ou des marches de l'autel, entre les portes saintes, il se penche vers elle pour la prendre et l'introduire dans le sanctuaire avec émerveillement : sa vieillesse est comblée car il perçoit le début du salut du monde, un peu comme Siméon — avec qui il partage beaucoup de traits — accueillant le Christ au Temple (2 février. Lc 2, 22-35).

Zacharie est donc âgé. Il porte une barbe et des cheveux longs, blancs, légèrement ondulés. Il est vêtu d'une robe longue par-dessus laquelle il porte une sorte de tunique plus courte retenue par une ceinture. Il a les poignets ordinairement ceints de manchettes, les pieds chaussés de brodequins d'apparat. Une sorte de grande chape rouge complète son costume sacerdotal tandis que l'espèce de coiffe qui signale d'ordinaire les prophètes orne sa tête auréolée.

Zacharie est le père de Jean le Précurseur, prêtre au temple de Jérusalem en tant que membre de la classe d'Abia (Lc 1, 5), la huitième des vingt-quatre classes sacerdotales. Le sort l'ayant désigné au tour de sa classe, il a eu à s'approcher effectivement de l'autel, dans le sanctuaire, mais de l'autel de l'encens (Lc 1, 8-9). Il a aussi prophétisé au sujet de l'imminence du salut et du ministère futur de son fils Jean-Baptiste (Lc 1, 67). Mais il n'était pas grand prêtre et est confondu avec le prophète Zacharie, fils de Barachie ou Bérékya (cf. le cathisme après le Polyeleos), l'un des douze petits prophètes, qui fut assassiné entre le sanctuaire et l'autel (Mt 23, 35 ; Lc 11, 51). Le Protévangile de Jacques le fait tuer par Hérode pour avoir refusé de révéler où était caché son fils Jean.

LES PARENTS DE MARIE, auréolés eux aussi, Joachim à la barbe et aux cheveux relativement courts, et Anne vêtue de son maphorion rouge vif comme à l'accoutumée, la suivent en marchant côte à côte, tantôt immédiatement, tantôt de derrière le groupe de jeunes filles qui escortent leur enfant, ce qui a son importance dans l'équilibre des compositions.

Ils offrent Marie au Seigneur, conformément au vœu accompli lors de leur stérilité, et se réjouissent de la voir se prêter si spontanément et totalement à sa consécration. Souvent, ils se regardent et se la montrent tandis qu'elle accède au sanctuaire.

LES JEUNES FILLES rassemblées par Joachim se trouvent groupées de façon compacte ou, au contraire, rangées en une longue procession. Elles accompagnent joyeusement Marie en portant des flambeaux qui évoquent la parabole des vierges sages (Mt 25, 1-13) allant à la rencontre de l'époux, ou encore la lumière divine qui habite leur amie.

La taille de ces demoiselles est très variable : on peut les trouver grande comme des adultes, ou aussi petites que Marie, ou bien entre les deux.

Leurs cheveux sont tressés, ornés d'un bandeau, et rarement voilés.

LE TEMPLE DE JÉRUSALEM constitue le cadre de la scène. Les éléments en sont agencés avec une élégante fantaisie.

Il y a principalement le sanctuaire renfermant l'autel surmonté de son ciborium et préservé par un cancel dont l'ouverture est souvent munie de portes. Bien sûr, il s'agit d'un sanctuaire de type chrétien et nous sommes en plein anachronisme.

Le lieu élevé où se trouve le plus souvent la Vierge, au sommet de hautes marches et surmonté d'une belle coupole, est tout à fait fantastique et suggère, comme en d'autres exemples, la dérison de ce qui paraît être la sagesse aux yeux du monde.

Il faut noter la perspective inversée, particulièrement sensible du fait des architectures nombreuses devant lesquelles se passe la scène selon le principe habituel de l'iconographie. Le voile rouge tendu par-dessus les toits ou joliment lié à un arbre signale que la scène se passe en fait à l'intérieur.

7.

VI

L'ANNONCIATION DE LA MÈRE DE DIEU
(25 mars)

En grec : ʿO EỲAΓΓΕΛICMÒC TῆC ΘΕΟΤΌΚΟΥ
Ho euaggelismos tès Théotokou

ou : ʿO XAIPETICMÓC
Ho chairetismos

En slavon : БЛАГОВѢ̀ЩЕНИЕ БОГОРÓДИ ЦІ
Blagoveščenié Bogorodicy

Le premier mot grec, comme le slavon, désigne littéralement l'annonce de la bonne nouvelle, tandis que le second signifie la salutation.

ORIGINE, SOURCES, LITURGIE

Attestée d'abord en Orient à partir de 692, l'Annonciation est l'une des douze grandes fêtes de l'Église. Elle est célébrée le 25 mars, à neuf mois jour pour jour de la Nativité du Seigneur le 25 décembre et, de ce fait, n'est jamais reportée.

L'ÉCRITURE

Selon Luc 1, 26-38, l'Annonciation constitue l'acte inaugural de la Nouvelle Alliance : Marie reçoit la révélation de l'avènement du Verbe, ce « mystère resté caché depuis les siècles » (Col 1, 25-26) et, à son acquiescement, le Fils de Dieu est conçu en elle par la puissance du Saint-Esprit.

L'épître lue à la liturgie, Hébreux 2, 11-18, atteste que le Fils de Dieu est devenu en tout semblable à ceux qu'il a pris pour frères.

LA LITURGIE

L'Annonciation est le thème, non seulement de la fête du 25 mars, mais aussi de l'hymne acathiste que l'on chante le samedi de la cinquième semaine du Grand Carême et dont on attribue la composition à Romain le Mélode (mort après 556).

Les textes, qui ne contiennent rien d'apocryphe, consistent en un dialogue presque incessant entre l'archange Gabriel et la Vierge Marie, dramaturgie qui se retrouve dans l'iconographie par le contraste entre l'allure vive de Gabriel et le recueillement de Marie. L'office chante l'union de la Divinité à l'humanité ainsi que la conception virginale du Sauveur en Marie, il rappelle les prophéties et oppose l'ange à Satan, Marie à Ève.

« C'est aujourd'hui le début de notre salut et la manifestation du mystère éternel. Le Fils de Dieu devient Fils de la Vierge et Gabriel annonce la grâce. C'est pourquoi nous crions avec lui à la Mère de Dieu : Salut, pleine de grâce, le Seigneur est avec toi. » *(Tropaire.)*

« Aujourd'hui, c'est l'annonce heureuse de la joie, c'est la fête de la Vierge. Les choses d'en bas sont accordées à celles d'en haut ; Adam est renouvelé ; Ève est délivrée de la première douleur ; et le tabernacle de notre nature, par la divinisation de la substance assumée, est consacré comme temple de Dieu. Ô mystère ! Inconnu est le mode de cet anéantissement ; ineffable le mode de cette conception. Un ange s'emploie à cette merveille : le sein d'une vierge reçoit le Fils ; l'Esprit Saint est envoyé ; le Père, du haut des cieux, s'y complaît, et cette union s'accomplit selon une commune volonté ; sauvés en lui et par lui, unissons nos voix à celle de Gabriel et crions à la Vierge : Salut, pleine de grâce ! C'est de toi que nous vient le salut, le Christ notre Dieu qui, ayant assumé notre nature, l'a élevée à la hauteur de la sienne. Prie-le de sauver nos âmes. » *(Apostiche de la liturgie.)*

« En ce jour est révélé le mystère éternel : le Fils de Dieu devient Fils de l'homme pour que, ayant pris ce qu'il y a de moins bon, il me donne ce qu'il y a de meilleur. Jadis, Adam fut trompé : voulant devenir Dieu, il ne le devint pas, mais Dieu devient homme pour rendre Adam Dieu. Que la créature se réjouisse, que la nature tressaille parce que l'ange se présente et s'incline devant la Vierge avec son ''Réjouis-toi'', salutation opposée à la peine. Ô notre Dieu, qui t'es incarné par pitié et miséricorde, gloire à toi ! » *(Doxasticon des laudes.)*

L'ICONOGRAPHIE

Dès les catacombes romaines, comme à celles de Priscille ou de Saint-Calixte, on a représenté l'Annonciation, avec la Vierge assise sur un trône et l'ange debout. Au VIe siècle, cette scène est courante : on la trouve sur les ampoules de Monza comme sur des amulettes ; la salutation de l'ange — le *Xaipe (Chairé)* de Luc 1, 28 —, dont le sens littéral est « réjouis-toi », exprime en effet aussi un souhait de santé comme « salut » et sert à saluer ; l'amulette vise donc à faire bénéficier son porteur du souhait de l'ange.

La représentation de l'Annonciation exprime le mystère célébré en s'appuyant, outre l'Évangile canonique de Luc, sur les apocryphes du Protévangile de Jacques, de l'Évangile de la Vierge, du Livre arménien de l'enfance.

Il existe trois types d'annonciations :

La Vierge au puits, lors d'une première intervention, invisible, de Gabriel. Basée sur des textes apocryphes, cette version se fonde sur l'importance des points d'eau en Orient et dans la Bible. C'est à un puits qu'Éliézer trouve Rébecca (Gn 24, 11), Jacob Rachel (Gn 29, 10), Moïse Séphora (Ex 2, 15). À quoi on peut ajouter la rencontre de Jésus avec la Samaritaine où s'est dévoilé le donateur de l'eau vive (Jn 4). On conçoit donc que ce soit à un puits que l'ange du Très-Haut s'adresse à celle qui devait devenir la mère du Fils de Dieu, « l'épouse inépousée » chantée par l'acathiste.

La Vierge au livre, d'origine occidentale mais reçue à partir du XVIe siècle même au mont Athos. Sur le livre ouvert, on lit la prophétie d'Isaïe 7, 14 : « Voici, la Vierge concevra. »

La Vierge à la quenouille, qui est la composition habituelle.

La structure de la composition est simple, basée sur deux axes verticaux constitués par chacun des deux personnages monumentaux, généralement prolongés par une architecture qui les campe l'un en face de l'autre. Un triangle est d'autre part formé par le visage de l'ange, celui de Marie et la sphère divine ou le sommet des portes saintes.

LES ÉLÉMENTS DE LA COMPOSITION

LE CADRE

Le lieu de l'événement serait non pas Nazareth, mais plutôt Jérusalem, dont on remarque d'ailleurs parfois les remparts, la ville du Temple où Marie a été élevée et dont les prêtres lui ont confié la tâche de tisser le voile.

L'ambiance de la scène est sereine. Il y règne une atmosphère de fraîcheur et de joie recueillie. Les couleurs sont gaies. Des détails qui ont leur importance dans la composition le soulignent : pots de fleurs, petits atlantes, arbre, etc. Par l'importance symbolique qu'il revêt spontanément chez tous, l'arbre — qui exprime la croissance vers le ciel et la victoire sur la mort — évoque en outre l'arbre de vie, de la Genèse à la Croix.

UN ESPACE SYMBOLIQUE ET DOGMATIQUE

Comme celle de chaque fête, l'icône de l'Annonciation possède un caractère narratif. Malgré ce mouvement dramatique, on ne remarque normalement pas de profondeur. En effet, *la perspective* est abolie ou inversée, de sorte que l'image ne constitue pas à elle seule l'espace où se déroulerait un événement clos sur lui-même, mais elle s'ouvre vers le spectateur, rayonne et fait de ce spectateur un témoin et un protagoniste. Ainsi est créée la possibilité de l'accès au sens théologique sans stagnation dans l'élément narratif.

La scène est représentée *à l'extérieur,* devant les édifices supposés la renfermer, selon les principes de la perspective inversée. Un voile rouge, l'ancien vélum qui servait à tamiser la lumière ou à couvrir un espace sans toiture, signifie qu'elle se passe en réalité à l'intérieur. Jamais des constructions ne doivent renfermer la scène ; elles doivent lui servir de fond. Dans sa *Théologie de l'icône,* L. Ouspensky explique pourquoi : « C'est que le sens même des événements que montrent les icônes ne se limite pas à leur lieu historique, tout comme, manifestés dans le temps, ils dépassent le moment où ils ont lieu. » Les constructions n'ont donc qu'une valeur d'indication géographique, ou esthétique, dans la mise en valeur de tel personnage ou élément.

De surcroît, *l'architecture* défie tout bon sens élémentaire et souligne ainsi à sa manière que l'action représentée dépasse la logique rationaliste et ses considérations étroites. C'est une remise en cause par la folie de l'Évangile de la logique humaine, l'expression de l'avènement d'un ordre nouveau dans la nouvelle création et une invitation à échapper au rationalisme au profit des vraies réalités.

Dans la même « logique », aucune source de *lumière* n'est représentée mais la lumière divine pénètre tout, diffusée par le fond doré de l'icône que l'on nomme « lumière ». Il évoque la lumière incréée de la Transfiguration du Christ qui anticipe sur la condition du Royaume dont Dieu lui-même sera la lumière, et où aucune ombre ne subsistera.

LES DEUX PRINCIPAUX ACTEURS

Ils diffèrent dans leur rôle de la même manière qu'ils appartiennent à des mondes différents. Il y a donc deux pôles et une dissymétrie qui donne son mouvement à la composition partagée en deux parties verticales, que ce soit par une différence de fond — par exemple, un espace doré vis-à-vis d'une construction —, que ce soit par un fond doré disposé entre deux constructions, ou encore par une colonne ou, mieux, un arbre.

L'archange Gabriel

Le messager de Dieu réalise parfaitement la définition que donne des anges l'épître aux Hébreux : « Les anges ne sont-ils pas tous des esprits chargés d'un ministère, envoyés en service pour ceux qui doivent hériter du salut ? » (He 1, 14.)

Issu de la lumière divine qui luit sur son nimbe et ses ailes, Gabriel s'empresse avec assurance vers la Vierge, adoptant parfois une attitude plus hiératique. Il est muni de l'attribut de l'autorité divine : le bâton de messager emprunté au dieu Mercure, messager de Zeus ; c'était la baguette de héraut antique, le bâton confié au plénipotentiaire. Un ruban retient comme à l'accoutumée ses cheveux tressés. Ses ailes, les pans de son manteau flottant au vent, la légèreté de la démarche ou même du bond, tout suggère l'aérien et le céleste, et souligne ainsi la nature spirituelle de l'ange. Le manteau (himation) régulièrement rouge traduit son active et joyeuse initiative, sa charge dynamique, son

« incandescence ». Quant aux vêtements de dessous (chiton), il est souvent vert. Cette couleur, très liée à l'effet esthétique, présente aussi sur ou sous les ailes, indique l'élément vital, la jeunesse.

Les doigts disposés pour bénir, l'archange tend vers la Vierge Marie le bras droit en un geste oratoire que l'on retrouve sur les statues de philosophes antiques. C'est l'expression des paroles évangéliques : « Réjouis-toi, comblée de grâce », à la fois salutation et bénédiction rassurante avant le message : « Le Seigneur est avec toi, ne crains pas. » (Lc 1, 28.)

La Mère de Dieu

Assise sur un siège généralement sans dossier mais rehaussé d'une architecture, ou bien debout devant ce siège, les pieds posés sur l'escabeau qui contribue à mettre en valeur sa dignité, la Vierge Marie apparaît nimbée et désignée par son monogramme grec MP ΘY. Elle est revêtue d'une tunique (chiton) verte ou bleue que recouvre un manteau (maphorion) pourpre, insigne de la dignité royale que lui vaut sa qualité de Mère de Dieu. Les trois étoiles indiquant sa virginité avant, pendant et après son enfantement ne figurent curieusement pas toujours à son front ou sur ses épaules.

Marie ne tourne que légèrement la tête vers Gabriel. En effet, comme on l'a dit plus haut à propos de la perspective inversée, la scène ne se réduit pas à ce qui est peint mais le spectateur est du nombre des protagonistes, et il convient qu'il voie le visage entier des personnages principaux car c'est essentiellement dans le visage que réside la grâce de l'icône. Le visage de Marie reflète une question compréhensible : « Comment cela se fera-t-il ? » (Lc 1, 29.) Mais tandis que d'une main elle tient la quenouille, elle élève l'autre, la paume ouverte, en un geste de dialogue exprimant l'attention active dans l'écoute, l'ouverture et la réceptivité, l'étonnement aussi. A. Grabar rapproche ce geste de celui de l'orante qui incarne la vertu de pietas. Parfois aussi, la Vierge pose la main sur la poitrine en signe d'acquiescement. C'est le moment grave où elle prononce le « Fiat » auquel était suspendu le sort de l'humanité et qui fait jaillir aussitôt la réponse divine : la conception du Christ. C'est ce dont témoigne un type particulier d'annonciations dont le plus ancien exemple est la célèbre icône d'Oustioug (XIIe siècle) : on y discerne les contours de l'enfant habitant déjà le sein de sa mère.

Marie est souvent gracieusement assise et son corps adopte une forme concave qui suggère l'humilité, la profondeur et l'intériorité, une réceptivité particulière devant le mystère, l'obéissance et la disponibilité.

D'après les Apocryphes, la Vierge file la laine pourpre qui lui permettra de confectionner le voile séparant dans le Temple le sanctuaire du Saint des Saints. Un parallèle est en effet établi entre Jésus-Christ et ce voile déchiré lors de sa mort sur la Croix (cf. Mt 27, 51 ; Mc 15, 38), selon une vision mystique qui s'appuie sur Hébreux 10, 20 : « Ayant l'assurance voulue pour l'accès au sanctuaire par le sang de Jésus, par cette voie qu'il a inaugurée pour nous, qui est récente et vivante, à travers *le voile, c'est-à-dire sa chair* […]. »

Le vrai voile du Temple tissée par Marie, c'est donc notre grand prêtre Jésus-Christ qui nous a fait passer de ce monde au Saint des Saints du royaume de son Père. C'est ce que confirment les textes liturgiques suivants :

> « La pourpre royale d'Emmanuel, qui est sa chair, fut tissée dans ton sein, toute pure Vierge et Mère de Dieu. Aussi est-ce en toute vérité que nous te disons telle. » *(Grand canon de saint André de Crète, ode 8.)*

> « Dans toute sa beauté, Dieu s'avance hors de la chambre nuptiale de ton sein ; comme un prince il a revêtu la robe de pourpre divinement tissée et mystiquement teinte de ton sang, ô Vierge inépousée, pour régner sur l'univers. » *(Dimanche de l'Apokréo, ode 7.)*

Ainsi, dès sa conception, la Pâque du Christ, « l'heure » pour laquelle il est venu (Jn 12, 27), est-elle évoquée, mais avec quelle délicatesse !

LA SAINTE TRINITÉ

Au sommet et vers le centre de la composition figure une portion de sphère à la bordure lumineuse rappelant la voûte céleste et évoquant Dieu le Père, que l'on voit parfois représenté sous l'aspect de l'Ancien des jours du Livre de Daniel.

De la sphère divine émane un rayon lumineux en direction de la Toute Sainte ; ce sont les énergies divines provoquant la formation de l'humanité de Jésus en son sein : « L'Esprit Saint viendra sur toi et la puissance du Très-Haut te prendra sous son ombre. » (Lc 1, 35.) Parfois, il y a trois rayons exprimant la Sainte Trinité à l'œuvre. Ou bien le rayon d'abord unique s'enfle en une petite sphère où l'on voit une colombe symbolisant le Saint-Esprit voler vers la Vierge ; après quoi il se sépare en trois branches. Il arrive encore que la colombe soit seule, ou à la pointe d'un triple rayon lumineux. Il peut aussi se faire qu'il n'y ait ni rayon ni colombe.

Au oui de Marie, le Père souffle l'Esprit et le Christ Jésus est conçu et formé.

AUTRES PERSONNAGES

On peut voir d'autres personnages qui rappellent les prophéties et la lignée messianique de Jésus. Ce sont surtout David, l'« ancêtre de Dieu » *(ho théopatôr),* Salomon et Isaïe. Une servante apparaît parfois aussi ; sa fonction n'est guère qu'ornementale.

DANS LES PROGRAMMES ICONOGRAPHIQUES

Avec la Platytera, l'Annonciation constitue un thème théophanique absidial, comme l'Ascension qui est la dernière étape et le but de l'incarnation du Seigneur. On la représente sur les portes saintes de l'iconostase ainsi que sur l'arc triomphal de l'église, ou sur ses piédroits, que ce soit vers la nef ou sur la face dominant le sanctuaire. Suzy Dufrenne dit pourquoi : « Alors que la Vierge Mère, rappelant l'Incarnation, occupe la conque de l'abside, la scène de l'Annonciation, à l'entrée du lieu sacré où se renouvelle le mystère divin, s'explique par un double symbolisme, biblique et fonctionnel (la Vierge est la porte d'Ézéchiel ''par où le Seigneur passera et qui sera fermée''). »

VII

8.

LA NATIVITÉ DE NOTRE-SEIGNEUR
JÉSUS-CHRIST
(25 décembre)

En grec : ʽΗ ΓÉΝΝΗCΙC ΤÕΥ ΚΥΡΊΟΥ ʽΗΜῶΝ ʼΙΗCΟῩ ΧΡΙCΤΟῩ
Hê gennêsis tou Kuriou hêmôn Iêsou Christou

En slavon : РОХДЕСТВО̀ ГÓСПОДА НА́ШЕГО ИИСΎСА ХРИСТА̀
Roẑdestvo Gospoda naŝego Iisusa Hrista

ORIGINE, SOURCES, LITURGIE

La fête de la Nativité du Christ tire son origine de celle de la Théophanie (6 janvier), dont elle fut distinguée pour être placée au 25 décembre, jour du solstice, afin de célébrer ainsi le vrai « Sol invictus », le Christ, lumière qui éclaire tout homme venant en ce monde (Jn 1, 9). Cela à Rome au IVe siècle, d'où la fête se répand rapidement en Orient, sauf en Arménie.

L'ÉCRITURE

Luc 2, 6-7 : la naissance du Seigneur ; Luc 2, 8-20 : les bergers ; Matthieu 2, 1-12 : les mages.

Outre les récits évangéliques, on trouve des références aux prophètes, comme nous allons le voir.

LA TRADITION

La confession de foi de Nicée (325), où la divinité de Jésus et sa consubstantialité avec Dieu le Père ont été définies.

Le Protévangile de Jacques (IIᵉ s.) et l'Évangile du pseudo-Matthieu, plus tardif (VIᵉ-VIIᵉ s.).

LA LITURGIE

La liturgie, qui a le propre de rendre les croyants contemporains du mystère qu'ils célèbrent, reprend dans la prière les sources de la foi et en propose le sens théologique d'où jaillit de nouveau l'action de grâces :

« Ton Royaume, Christ Dieu, est un royaume de tous les siècles et ta domination s'étend à toutes les générations. Toi qui t'es incarné par l'opération du Saint-Esprit et qui t'es fait homme en naissant de Marie toujours vierge, Christ Dieu, tu as brillé à nos yeux comme une lumière lors de ton avènement. Lumière de lumière, éclat du Père, tu illumines toute créature. Tout souffle te loue comme l'empreinte de la gloire du Père. Toi qui es et as toujours été, toi qui, né d'une vierge, as brillé comme Dieu, aie pitié de nous. » *(Idiomèle du lucernaire.)*

« [...] Dieu, né d'une femme, est apparu dans la chair à ceux qui étaient assis dans les ténèbres et l'ombre de la mort... Gloire à Dieu au plus haut des cieux et paix sur terre, car il est venu, le désiré des nations, il est venu et nous a sauvés de l'esclavage de notre ennemi. » *(Idiomèle de la liturgie.)*

« Le ciel et la terre se sont unis aujourd'hui, à la naissance du Christ. Aujourd'hui est contemplé dans la chair celui qui par nature est invisible, et cela à cause de l'homme... » *(Idiomèle de la liturgie.)*

« Voyant tombé à cause de sa transgression celui qui était créé à son image et à sa ressemblance, Jésus inclina les cieux, en descendit et habita le sein d'une vierge sans subir aucun changement, afin de reformer en elle Adam qui était souillé et qui lui criait : Gloire à ton apparition, ô mon Rédempteur et mon Dieu. » *(Idiomèle de la liturgie.)*

« [...] En participant à une chair coupable, tu lui as communiqué quelque chose de la nature divine en naissant comme homme tout en restant Dieu... » *(Tropaire, ode 3.)*

« [...] Tu apportes aux mortels le don de la divinisation, dont le désir nous avait fait tomber de haut dans les gouffres des ténèbres. » *(Tropaire, ode 7.)*

« [...] Tu viens ramener la nature humaine égarée des collines désertes aux pacages fleuris, ô Résurrection des nations [...] » *(Tropaire, ode 8.)*

L'ICONOGRAPHIE

La plus ancienne image connue est celle de la catacombe romaine de Priscille (début du IIIe s.) où l'on voit Marie tenant l'Enfant et, devant eux, un homme debout désignant l'étoile. On identifie ce personnage avec le prophète Balaam selon Nombres 24, 17.

Il y a aussi une adoration des mages qui montre que tous les peuples viennent adorer le Fils de Dieu.

La première représentation de la Nativité même a probablement été une fresque commandée par Constantin pour la basilique de Bethléem. On pense que c'est elle que reproduit une ampoule de Monza (VIe s.) ainsi qu'une icône à plusieurs scènes du musée du Vatican (VIe s.) et une icône du Sinaï (VIIe s.).

Sur ces trois représentations, presque identiques, on distingue la Vierge allongée sur l'espèce de grand coussin devenu habituel, complètement recouverte de son maphorion, saint Joseph en proie à ses interrogations, et, à la fois au-dessus et entre eux, l'Enfant Jésus langé, couché dans une grotte, avec l'âne et le bœuf. Au-dessus, l'étoile. Au centre, entre la Vierge et Joseph, on distingue la porte de la basilique de Bethléem contenant la grotte et... la représentation modèle.

Après l'iconoclasme, le type iconographique est définitivement fixé. L'icône présente maintenant une synthèse parfaite à la vénération et à la méditation des croyants, réalisée à partir de scènes typologiques figurant conventionnellement, parfois en cycles entiers, par exemple sur Dionysos, les événements communs à tous de la vie d'un défunt, sur le devant de sarcophages. Ce qui concerne la naissance du personnage est donc évoqué par une femme assise aidée d'une autre femme, scène suivie du bain de l'enfant. On retrouve ce schéma dans toutes les nativités.

L'ÉTOILE

Au sommet et au centre de la composition, une demi-sphère bleue figure le ciel, où l'événement prend sa source. De la sphère descend un rayon de lumière, qui s'enfle pour contenir l'étoile — à moins qu'elle n'apparaisse dans la sphère céleste même —, à partir de laquelle le rayon devient triple — signalant qu'on assiste à l'œuvre de la Sainte Trinité — et éclaire le nouveau-né en indiquant l'origine céleste de sa conception.

L'étoile, que dans l'Antiquité on pouvait trouver par exemple au-dessus des statues d'empereurs païens comme signe de la présence divine, vient de l'Évangile, mais évoque aussi Isaïe 60, 1-3 et Nombres 24, 17. Cet ensemble lumineux procure souvent à l'icône son axe vertical et suggère que l'on est en présence d'une théophanie : Dieu se manifeste aux hommes.

LE CHRIST

«Un nouveau-né enveloppé de langes et couché dans une crèche» (Lc 2, 12), tel est le Christ Seigneur que désigne l'étoile. Sa tête, auréolée du nimbe crucifère portant les lettres ʹO ὩΝ (Ex 3, 14) — nimbe qui annonce sa passion tout en indiquant sa divinité —, occupe parfois le point central de la composition, de façon significative.

Certains croient voir ses langes ressembler à des bandelettes mortuaires et la mangeoire revêtir la forme d'un autel ou d'un sarcophage : le Sauveur naît pour vaincre la mort et le péché par sa propre mort (tropaire de Pâques) où le conduit son témoignage de la vérité (Jn 18, 37) : l'amour de Dieu pour les hommes.

LA GROTTE

La grotte n'est pas mentionnées dans l'Écriture. Justin le Philosophe et Origène ont été les premiers à en parler et c'est au VIIᵉ siècle qu'elle est définitivement entrée dans la composition des icônes. Elle est noire, couleur du néant et du péché : le Christ vient «illuminer ceux qui sont assis dans les ténèbres et l'ombre de la mort» (Lc 1, 79). Ce sont les mêmes ténèbres que l'on voit au Calvaire ou dans la Descente aux Enfers et où le Seigneur descend à la rencontre d'Adam.

LE BŒUF ET L'ÂNE

Leur présence repose sur des prophéties reprises par le pseudo-Matthieu («Le bœuf reconnaît son bouvier et l'âne la crèche de son maître, Israël ne connaît rien, mon peuple ne comprend rien ») d'Isaïe 1, 3, et Habacuc 3, 2, selon le texte grec que voici : « Au milieu de deux animaux tu te manifesteras ; quand seront proches les années tu seras connu ; quand sera venu le temps tu apparaîtras. »

On attribue parfois d'autres sens à ces animaux : ils représenteraient les cultes païens détrônés par le vrai Dieu, ou bien le bœuf représenterait les Juifs, en rapport avec les bergers, et l'âne les nations, en rapport avec les mages.

LA MÈRE DE DIEU

Comme l'incarnation du Seigneur occupe une place déterminante dans la foi chrétienne, la Vierge Marie est étendue en plein milieu de la composition sur un magnifique coussin rouge, complètement recouverte de son maphorion pourpre ordinairement orné des trois étoiles indiquant sa virginité avant, pendant et après l'enfantement.

Bien que ces étoiles et l'absence de l'éventail et de la main sur la joue — qui, dans l'iconographie byzantine, sont le signe de la maladie et de la douleur — témoignent de l'aspect mystérieux et surnaturel de la naissance de Jésus, la Vierge est représentée couchée pour attester qu'elle a réellement accouché : Dieu est vraiment né d'une femme (Ga 4, 4).

Quant à son expression, Luc (2, 19) suffit à l'expliquer : « Elle conservait avec soin tous ces souvenirs et les méditait dans son cœur. »

LES ANGES

Toujours en présence de Dieu pour le servir, les anges, les mains voilées par respect, adorent l'enfant qui vient de naître et louent le Seigneur en chantant : « Gloire à Dieu au plus haut des cieux, paix sur la terre, bienveillance aux hommes. » (Lc 2, 14.)

L'un d'eux annonce aux bergers l'événement.

LES BERGERS

Sur un bord de la colline, vêtus à la manière paysanne, munis du bâton à l'extrémité recourbée qui permet d'attraper les animaux par la patte (on en voit un magnifique exemple sur une peinture murale de la villa d'Auguste à Rome), les bergers sont souvent répartis en trois groupes ou moments : dans les champs avec le troupeau, en train de jouer de la flûte ; recevant l'annonce de l'ange ; enfin avec Joseph, sur le chemin de la grotte (et non Satan ni Isaïe, comme on le prétend parfois).

LES MAGES

Sur le côté opposé aux bergers, les mages, représentés ainsi depuis le XIᵉ siècle, arrivent au terme de leur longue chevauchée, et la vue de l'astre qu'ils se montrent avec enthousiasme les remplit de joie (Mt 2, 10) ; c'est quelquefois un ange qui le leur montre. Comme depuis les peintures des catacombes, ils sont vêtus à la façon persane que caractérisent leur pantalon serré au genou, leur manteau flottant et court ainsi que le bonnet phrygien qui sert de coiffe aux prophètes dans l'art byzantin.

On les nomme Gaspard, Melchior et Balthazar. S'ils étaient en possession d'un rouleau, ce serait celui de la prophétie de Balaam (Nb 24, 17), à moins que ce ne soit Isaïe 60, 3, qui a pu contribuer à en faire des rois : « Les nations marchent vers ta lumière et les rois vers ta clarté naissante. » Selon Bède le Vénérable, chacun d'eux représente l'une des parties du monde connu : l'Europe, l'Asie et l'Afrique. Ils ont aussi l'un des trois âges de la vie : l'un d'eux est âgé, portant une barbe blanche ; un autre dans la force de l'âge a la barbe noire et le troisième, imberbe, est jeune. Tous les hommes de partout et de tout âge sont donc invités à adorer le Fils de Dieu fait chair avec eux, qu'une science véritable a conduits à la grotte.

Les mages apportent des cadeaux, dont l'office dévoile le sens :

« De l'or pur comme au Roi des siècles ; de l'encens comme au Dieu de l'univers ; de la myrrhe, à lui, l'immortel, comme à un mort de trois jours. » *(Apostiche de la liturgie.)*

SAINT JOSEPH

Selon les Apocryphes, saint Joseph est relativement âgé. Il occupe l'une des moitiés inférieures de la composition, le plus souvent la gauche. Assis à l'écart, étant étranger à la naissance, il a le dos tourné, la main portée au visage, et son attitude suggère la douleur et le doute en ce qui concerne l'origine de ce qui a été conçu en Marie.

Cette scène a pour but d'attester la conception virginale de Jésus. Elle est parente avec une mosaïque du Liban : Philippe se détourne de la scène où sa femme Olympias donne naissance à Alexandre dont le père est Zeus (cité par A. Grabar dans *Les voies de la création en iconographie chrétienne*).

LE BAIN

Il occupe le côté inférieur opposé à saint Joseph et tire son origine de la scène conventionnelle représentant la naissance dans l'Antiquité. Lui aussi témoigne de la réalité de la naissance du Seigneur « selon la chair ».

Deux femmes s'occupent de l'enfant ; l'une le tient et vérifie la température de l'eau que verse l'autre. Ce sont Salomé et la sage-femme que présente le Protévangile de Jacques. La sage-femme, rencontrée d'abord par Joseph, est immédiatement convaincue de la naissance virginale ; Salomé, « évangélisée » par elle, refuse d'abord de croire jusqu'à ce que sa main se dessèche. Elle reçoit alors dans ses bras l'enfant et guérit. C'est donc là encore une catéchèse sur la naissance virginale du Christ et l'intégrité totale de sa Mère.

LE PAYSAGE

Le décor est riche en détails et gai, ce qui correspond au printemps. C'est d'ailleurs pendant cette saison que le Christ est né, comme l'indique la veille des bergers qui n'avait lieu qu'au moment de l'agnelage.

Tout l'univers participe au salut annoncé (Rm 8, 19-22). La lumière de la gloire de Dieu remplit tout (Lc 2, 9) alors qu'il fait nuit (Lc 2, 8). La montagne maudite où personne n'allait plus par crainte des épines et des ronces (Is 7, 25), voilà qu'elle reverdit à l'avènement du Messie, Fils de Jessé : « On ne fait plus de mal ni de ravages sur toute ma sainte montagne car le pays est rempli de la connaissance du Seigneur. » (Is 11, 9.)

*

Voilà comment l'icône actualise ce pôle de la foi chrétienne qu'est l'incarnation du Seigneur. D'une scène à l'autre, la succession des moments et des lieux est abolie et on se trouve immédiatement en présence de tous les éléments d'un mystère qui se développe en mouvement unique et perpétuel : une sorte de présent dynamique toujours renouvelé et renouvelant, qui intègre le spectateur dans son élan paisible pour le faire participer à l'événement.

VIII

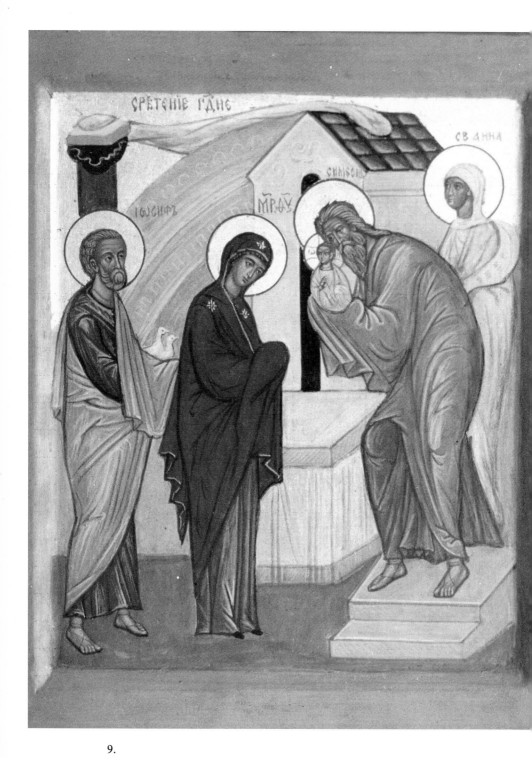

9.

LA RENCONTRE DE NOTRE-SEIGNEUR JÉSUS-CHRIST
(2 février)

En grec	: 'Η 'ΥΠΑΠΑΝΤΗ ΤΟΥ ΚΥΡΊΟΥ 'ΗΜΩΝ 'ΙΗΣΟΥ ΧΡΙΣΤΟΥ
	Hè hupapantè tou Kuriou hèmôn Ièsou Christou
En slavon	: СРЂТЕНИЕ ГО́СПОДА НА́ШЕГО ИИСУ́СА ХРИСТА́
	Sretenié Gospoda našego Iisusa Hrista
ou	: ПРЕДСТАВЛЕ́НИЕ ВО ХРАМ
	Predstavlenié vo Hram
soit	: Présentation au Temple

ORIGINE, SOURCES, LITURGIE

Cette fête de la Rencontre du Seigneur était déjà célébrée à Jérusalem lorsque la fameuse pèlerine Éthérie s'y rendit au IVᵉ siècle. De là, elle se répandit dans l'ensemble de la chrétienté aux VIᵉ et VIIᵉ siècles. Reçue à Constantinople sous Justinien (VIᵉ s.), elle est l'une des douze grandes fêtes du cycle liturgique byzantin.

Placé au 2 février, c'est-à-dire quarante jours après la naissance du Christ conformément à la Loi de Moïse et au récit de saint Luc, cette fête, en commémorant la présentation du Christ au

Temple, se rattache aux autres célébrations de l'incarnation salvatrice du Fils Unique de Dieu : l'Annonciation, Noël, la Circoncision.

L'ÉCRITURE

La Rencontre est fondée sur l'Évangile de Luc 2, 22-40, lu aux matines et à la liturgie.

On lit en outre ce jour-là : Exode 13, 1-16 ; Lévitique 12 ; Isaïe 6, 1-12 ; 19, 1-21 ; Hébreux 7, 7-17.

LA TRADITION

L'Église, en méditant sur le mystère célébré, admire d'abord, dans la logique de son incarnation, le Fils de Dieu conduit au Temple pour obéir en tant qu'être humain à la Loi qu'il avait donnée à Moïse en tant que Dieu (Ex 13, 1-2 ; 11-16). Cette obéissance caractérise toute la vie du Christ et le conduit, de sa consécration de premier-né accompli en mémoire de la première pâque lors de la sortie d'Égypte (Ex 13, 14-16), à sa propre pâque : « Obéissant jusqu'à la mort, et à la mort sur une croix cultuel » (Ph 2, 8.)

Ce premier acte cultuel de Jésus-Christ se situe à Jérusalem, lieu de la pâque et comme le centre de l'histoire du salut. L'intervention du juste vieillard Siméon et de la prophétesse Anne *manifeste le Messie* et dévoile, à travers une prophétie adressée à *la Mère* — ce qui souligne son rôle —, l'avenir tragique choisi par le Fils pour nous sauver.

Cette *rencontre* du Seigneur avec des membres de son peuple, qui l'attendaient et reconnaissent en lui la réalisation de la promesse divine, a condensé l'ensemble des aspects de l'événement.

« Celui que, dans la liturgie d'En haut, les esprits supplient avec tremblement, est reçu ici-bas dans les bras corporels de Siméon. Celui-ci proclame l'union de la divinité avec les hommes... » *(Liturgie.)*

« Dans le sanctuaire, la Vierge sainte offre le Saint au sacrificateur [...] » *(Liturgie.)*

« Aujourd'hui le vieillard Siméon vient en joie dans le Temple pour recevoir dans ses bras Celui qui donna la Loi à Moïse et qui maintenant l'accomplit. Moïse avait pu voir Dieu à travers un nuage et des voix indistinctes et c'est le visage voilé qu'il avait convaincu les cœurs rebelles des Hébreux. Et maintenant Siméon porte le Verbe du Père, il tient l'Éternel devenu chair, il dévoile la Lumière des nations, la Croix et la Résurrection. Et Anne la prophétesse intervient pour annoncer le Sauveur, le Libérateur d'Israël. Crions-lui : ô Christ, notre Dieu, par la Mère de Dieu aie pitié de nous. » *(Vêpres, apostiches.)*

« Celui qui s'avance sur les chérubins [...] est porté aujourd'hui dans le temple divin selon la loi, et il repose dans les bras d'un vieillard comme sur un trône. Par les mains de Joseph, il apporte des dons convenant à un Dieu : sous la forme d'un couple de tourterelles l'Église immaculée et le nouveau peuple élu des nations ; et deux jeunes colombes, car il est le chef de l'ancienne et de la nouvelle alliances. Et Siméon [...] bénit Marie, la Vierge et Mère de Dieu, et révèle les symboles de la Passion de son Fils [...] » *(Doxasticon, Apostiches des Vêpres.)*

« Le premier-né du Père avant les siècles est apparu [...] tendant les mains à Adam [...] pour relever le premier homme de l'infantilisme où la séduction l'avait fait puérilement tomber. » *(2ᵉ et 3ᵉ tropaires, ode 3.)*

« Pour délivrer une race terrestre, Dieu ira jusqu'aux Enfers... » *(Ode 7.)*

« Marie, tu es la pince mystique qui as conçu dans ton sein le charbon ardent qu'est le Christ [...]. » *(Ode 9.)*

« Et toi, immaculée, un glaive percera ton cœur lorsque tu verras en croix ton Fils à qui nous chantons : Tu es béni, Dieu de nos pères. » *(Ode 7.)*

« Salut, ô pleine de grâce, Vierge Mère de Dieu, car de toi s'est levé le Soleil de Justice, le Christ notre Dieu, illuminant ceux qui sont dans les ténèbres. Réjouis-toi aussi, juste vieillard, qui as reçu sur tes bras celui qui libère nos âmes et nous donne la Résurrection. » *(Tropaire.)*

L'ICONOGRAPHIE

L'une des plus anciennes représentations de la rencontre est probablement la mosaïque de l'arc triomphal de la basilique romaine de Sainte-Marie-Majeure (vers 440).

LES ÉLÉMENTS DE LA REPRÉSENTATION

LE TEMPLE

D'une manière générale, la scène est située à l'intérieur du Temple de Jérusalem, haut lieu du culte de l'Ancienne Alliance, le sacrifice du Christ évoqué par l'autel — au symbolisme renforcé parfois par une patène posée sur lui — mettra un terme en l'accomplissant une fois pour toutes.

On voit donc l'autel surmonté de son ciborium et protégé par les portes saintes, toutes choses anachroniques, bien sûr, ainsi que la tenture conventionnelle signifiant qu'on est à l'intérieur.

Parfois, la scène se passe devant le Temple plutôt que devant l'autel, formule assez rare qui caractérise l'époque antique. On remarque alors le bâtiment d'une église ou d'un autre édifice évoquant le Temple à l'arrière-plan, ou sur la droite comme à Sainte-Marie-Majeure.

Là aussi, les lignes d'une architecture insolite sont tracées en perspective inversée, plaçant le spectateur à l'intérieur de la composition.

LA VIERGE

La mère de Dieu occupe souvent le centre de la représentation. Elle accomplit l'offrande de son Fils premier-né, les mains respectueusement couvertes des pans de son maphorion.

JOSEPH

Le juste Joseph, représenté plus jeune que de coutume, suit la Vierge en portant dans ses mains couvertes les deux colombes prescrites pour le rachat de l'enfant consacré à Dieu. Ces colombes ont revêtu le sens des deux alliances, ou de l'Église des Juifs et des Gentils.

SIMÉON

Selon le Protévangile de Jacques, le juste vieillard Siméon fut élu pour remplacer dans sa fonction sacerdotale le prêtre Zacharie assassiné. Siméon porte d'ailleurs les traits de Zacharie, mais pas ses vêtements sacerdotaux, et devient le ministre de la consécration de l'Enfant au Seigneur. Il reçoit Jésus dans ses bras avec le respect dont témoignent ses mains couvertes, en haut des marches, aux portes du sanctuaire, quand ce n'est pas à l'autel même, derrière les portes saintes.

On peut trouver une parenté inspirée par la liturgie entre la figure de Siméon, que vient rencontrer le Sauveur, et celle d'Adam.

ANNE

La prophétesse Anne désigne du doigt le « libérateur de Jérusalem » (cf. Lc 2, 38). Elle déploie souvent un cartouche sur lequel on peut lire : « Cet enfant a affermi le ciel et la terre. »

Souvent placée derrière Siméon et de profil (chose anormale en soi, car on devrait voir son visage), Anne peut aussi être placée entre Marie et Joseph, ce qui donne alors à la composition un caractère processionnel qui l'apparente à l'entrée au Temple de la Vierge.

Il arrive que la prophétesse soit confondue avec la mère de la Vierge Marie ; cela explique la présence insolite de Joachim dans certains cas.

LE CHRIST

L'Enfant Jésus est vêtu d'une tunique dorée évoquant sa gloire. Son exaltation n'est-elle pas liée à son sacrifice (cf. Jn 12, 23) ? Le nimbe crucifère portant les lettres 'O ὨN entoure sa tête. Parfois, il tient un rouleau.

Selon les iconographes, le Christ, dans les bras de Marie, se dresse et tend les bras à Siméon. Dans les bras de Siméon, il peut aussi se tenir droit et même bénir des deux mains, montrant son initiative : « On ne m'ôte pas la vie, je la donne de moi-même. » (Jn 10, 18.)

Mais on peut aussi le voir, à l'inverse, se blottir dans les bras de sa Mère et comme tenter de s'éloigner du sacrifice annoncé par l'allure sacerdotale de Siméon : « Maintenant mon âme est troublée. Et que dire ? Père, sauve-moi de cette heure ? Mais c'est pour cela que je suis arrivé à cette heure. Père, glorifie ton nom ! » (Jn 12, 27.)

UNE SYNTHÈSE

L'icône de la rencontre présente donc en une synthèse théologique et spirituelle tout l'être du Seigneur Jésus : son obéissance au Père jusqu'à l'« heure » pour laquelle il est venu et qui le conduit à la gloire de la Résurrection. Mystère où nous sommes conduits par l'Esprit afin que, passant par le même baptême, nous participions à la nature divine.

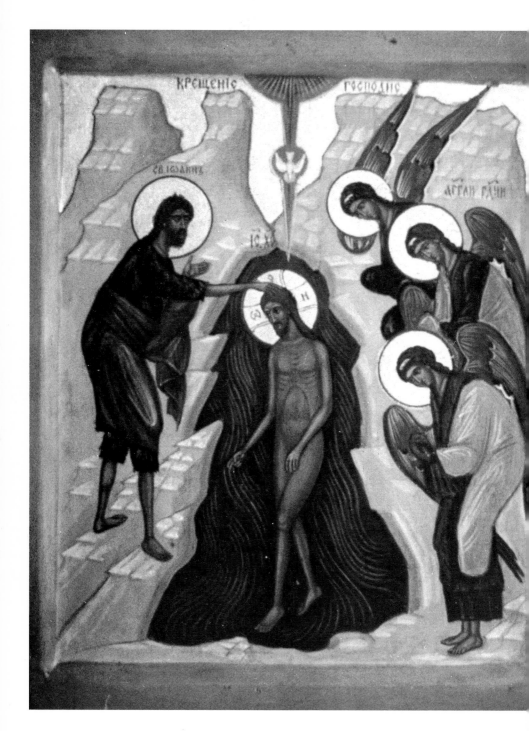

10.

IX

THÉOPHANIE (BAPTÊME) DE NOTRE-SEIGNEUR JÉSUS-CHRIST LA FÊTE DES LUMIÈRES
(6 janvier)

En grec :	ΤᾺ ΘΕΟΦΑΝΕΙΑ (ʿΗ ΒΑΠΤΙCΙC) ΤΟΥ ΚΥΡΙΟΥ ʿΗΜῶΝ ᾽ΙΗCῶΥ ΧΡΙCΤῶΥ Ta theophaneia (hê baptisis) tou Kuriou hèmôn Ièsou Christou ʿΗ ʿΕΟΡΤῊ ΤῶΝ ΦῶΤΩΝ - Hê heortê tòn phô-tôn
En slavon :	БОГОЯВЛЕ́НИЕ (КРЕЩЕ́НИЕ) ГО́СПОДА НА́ШЕГО ЙИСУ́СА ХРИСТА́ Bogojavlenié (kreŝĉenié) Gospoda naŝego Iisusa Hrista ДЕНЬ ПРОСВЕЩЕ́НИЯ - ПРА́ЗДНИК СВЕ́ТОВ Den' prosveŝĉenija Prazdnik svetov

ORIGINE, SOURCES, LITURGIE

L'une des fêtes les plus anciennes de l'Église, la Théophanie synthétisait d'abord tous les mystères de la manifestation du Seigneur au monde. Elle avait été placée au 6 janvier, qui était alors la date du solstice d'hiver. À partir du IVe siècle (386 à Antioche), on en sépara la Nativité pour la placer au 25 décembre, nouvelle date du solstice. On s'attacha donc depuis à célébrer à la date primitive le Baptême du Seigneur au Jourdain, qui marque le commencement de son ministère. C'est d'ailleurs depuis cette période passée avec Jean et jusqu'à l'Ascension qu'il fallait avoir suivi Jésus pour pouvoir être admis au nombre des douze apôtres (Ac 1, 21-22).

L'ÉCRITURE

Les quatre évangélistes relatent le baptême de Jésus par Jean : Matthieu (3, 13-17), Marc (1, 9-11), Luc (3, 21-22), Jean (1, 29-34).

LA TRADITION LITURGIQUE

Fondée sur l'Écriture, elle suggère qu'au baptême de Jésus s'est manifestée la Sainte Trinité de Dieu : Père, Fils et Saint-Esprit.

D'autre part, elle nous présente le Christ comme lumière qui éclaire le monde et régénère l'humanité. C'est pourquoi on donne aussi à ce jour le nom de fête des Lumières.

La Théophanie est l'une des meilleures occasions — avec Pâques et la Pentecôte — pour célébrer des baptêmes. On y procède toujours à la consécration des eaux, afin qu'elles participent de la grâce du Jourdain lorsque le Christ s'y est immergé, et servent à se purifier ou à sanctifier sa maison, ou à tout autre bon usage. Au-delà de l'eau, c'est tout l'univers qui est sanctifié en relation avec le salut des hommes (Rm 8, 19-23).

« Seigneur, dans ton baptême au Jourdain s'est manifestée l'adoration de la Trinité. Car la voix du Père te rendait témoignage en te nommant Fils bien-aimé et l'Esprit, sous forme de colombe, confirmait ce témoignage inébranlable. Christ Dieu, qui as paru et illuminé le monde, gloire à toi ! » *(Tropaire de la fête.)*

« Les portes resplendissantes du ciel s'ouvrent, et l'initiateur voit l'Esprit qui procède du Père et repose dans le Verbe tout immaculé, descendant d'une manière ineffable comme une colombe ; et il apprend aux peuples à courir vers leur Maître. » *(Ode 6.)*

« Prophète, viens me baptiser, moi ton créateur qui illumine par la grâce et qui purifie tous les hommes… J'ai hâte de faire périr l'ennemi caché dans les eaux, le prince des ténèbres, pour délivrer le monde de ses filets en lui accordant la vie éternelle, car je suis ami des hommes. » *(Sexte du 5 janvier. Idiomèle.)*

« Dans les flots du Jourdain, il recrée Adam qui s'était laissé corrompre et il brise la tête des dragons qui s'y étaient tapis, le Seigneur Roi des siècles, car il s'est couvert de gloire. » *(Ode 1.)*

« C'est à des pécheurs et à des publicains que, par la grandeur de ta pitié, tu es apparu, ô Sauveur. Où donc ta lumière aurait-elle pu luire sinon chez ceux qui étaient assis dans les ténèbres ? Gloire à toi. » *(Tropaire des lectures. Vêpres.)*

« Verbe tout éclatant du Père envoyé pour dissiper les longues et tristes heures de la nuit, tu viens déraciner le péché des mortels et, par ton baptême, ô bienheureux, faire sortir tout lumineux tes fils des flots du Jourdain. » *(Ode 4.)*

« Le Christ est baptisé ; il sort de l'eau et relève le monde avec lui. Il voit ouverts les cieux qu'Adam avait fermés à lui-même et à ses descendants [...]. » *(Liturgie.)*

« Roi éternel, par la communication de l'Esprit, tu oins notre nature humaine pour la rendre parfaite ; tu la purifies dans les flots immaculés et, en triomphant de la force orgueilleuse des ténèbres, tu fais passer les hommes à une vie sans fin. » *(Ode 9.)*

« La création est libre, les hommes jadis dans les ténèbres deviennent fils de lumière. Seul gémit le prince des ténèbres [...]. » *(Ode 8.)*

« En ce jour la création est illuminée, tout est à la joie. Les anges se mêlent aux hommes, car là où se montre le Roi, là aussi son armée est en faction [...]. » *(Liturgie.)*

« Par une nouvelle création du genre humain, le Seigneur régénère la nature créée par Dieu. » *(Ode 3.)*

« La lumière véritable est apparue et donne à tous l'illumination. Plus pur que toute pureté, le Christ est baptisé avec nous ; il renferme la sanctification dans l'eau, qui devient une purification pour nos âmes ; terrestre est ce que nous contemplons, mais plus élevé que les cieux ce que nous concevons ; par l'ablution vient le salut ; par l'eau, l'Esprit ; par la descente dans l'eau, notre ascension vers Dieu. Admirables sont tes œuvres, Seigneur, gloire à toi. » *(Idiomèle des laudes.)*

« En ce jour, le Christ vient au Jourdain pour être baptisé ; en ce jour, Jean toucha la tête de son maître. Les puissances célestes étaient hors d'elles-mêmes en voyant cet étrange mystère ; la mer le vit et s'enfuit ; le Jourdain le vit et retourna vers sa source. Et nous qui avons été illuminés, crions : Gloire au Dieu qui se manifeste, qui se montre sur la terre et qui illumine le monde ! » *(Idiomèle des laudes.)*

L'ICONOGRAPHIE

On trouve déjà dans les catacombes des images du baptême, mais on n'est pas certain qu'il s'agisse de celui du Christ. La représentation de la catacombe des saints Pierre et Marcellin qui date du IVe siècle, semble moins poser problème. On y voit un homme jeune, nu et imberbe, les pieds dans l'eau ; au-dessus de lui, une grosse colombe laisse échapper de son bec une pluie de rayons qui inonde le baptisé, sur la tête duquel est posée une main, vraisemblablement celle de Jean-Baptiste.

L'époque constantinienne a vu la construction d'une église commémorative sur les bords du Jourdain, qui devait être décorée d'une fresque ou d'une mosaïque à laquelle s'apparenterait une ampoule de Monza (VIᵉ s.). Jésus y occupe le milieu inférieur d'un médaillon, nu et debout dans le Jourdain qui lui arrive au torse ; il est encadré à gauche par Jean, qui étend la main au-dessus de lui, et à droite par un ange, les mains respectueusement couvertes ; en haut du médaillon, la colombe.

Aux abords de cette église, dans le Jourdain même, était plantée une colonne surmontée d'une croix qui indiquait l'endroit où s'était tenu Jésus. On la remarque sur plusieurs représentations (à Hosios Loukas ou Venise, par exemple).

Autre monument des plus anciens : la coupole du baptistère des Orthodoxes à Ravenne (vers 455). On y voit Jésus immergé jusqu'à la taille dans le fleuve, nu, avec la colombe au-dessus de lui ; Jean, debout sur des rochers agrémentés de végétation, une grande croix gemmée à la main, répand l'eau sur Jésus à l'aide d'une coquille ; un personnage âgé marchant dans l'onde personnifie le Jourdain ; tout le fond est doré.

À Ravenne encore, le baptistère des Ariens suit de peu celui des Orthodoxes et s'en inspire. Un détail curieux : un peu comme à la catacombe des saints Pierre et Marcellin, la colombe verse de son bec sur la tête du Christ comme un triangle de lumière bleue.

La composition définitive du baptême du Christ exprime d'une manière à la fois simple et dense l'ensemble du mystère célébré.

L'icône est lumineuse et évoque la lumière divine incréée, la gloire de la présence divine, le ciel qui s'ouvre sur la terre.

LES ÉLÉMENTS DE LA COMPOSITION

LE CIEL

Au sommet de la composition, d'abord, on remarque la demi-sphère bleue qui symbolise le ciel et exprime la présence de Dieu. Souvent la main bénissante du Père sort de cet arc de cercle, selon un procédé iconographique d'origine juive, les doigts pointés en

direction de Jésus pour désigner visuellement « Mon Fils bien-
aimé en qui je me suis complu » (Mt 3, 17 ; Mc 1, 11 ; Lc 3, 22).
Cette parole peut d'ailleurs être inscrite au milieu du rayon. Parfois, on peut encore voir les portes du ciel ouvertes par les anges et
même — ce qui est considéré comme un abus — une représentation de Dieu le Père.

LA COLOMBE

De la sphère, un rayon lumineux parfois triple descend sur
Jésus. À l'intérieur d'un renflement de ce rayon, qui lui est une
manière d'auréole, figure une colombe, forme corporelle selon
laquelle s'est manifesté Dieu le Saint-Esprit lors du baptême du
Christ.

La colombe évoque en particulier la création du monde (Gn 1,
2) et la fin du déluge (Gn 8, 8-12), qui amorce une première création du monde et annonce la recréation définitive réalisée dans la
personne du Christ, nouveau Noé, suggérée particulièrement
quand la colombe porte un rameau d'olivier dans son bec.

L'icône du baptême du Seigneur est le seul cas où la colombe
peut légitimement représenter le Saint-Esprit, parce que le récit
évangélique l'impose. En effet, la troisième personne divine de la
Sainte Trinité ne s'est jamais incarnée dans une colombe. De plus,
le concile Quinisexte (692) interdit les représentations symboliques de Dieu.

JÉSUS-CHRIST

Jésus-Christ, Dieu le Fils devenu vraiment homme tout en
demeurant ce qu'il était, paraît dans le Jourdain *selon sa nature
humaine.* Sur lui repose l'Esprit Saint (la colombe) qui le manifeste comme l'Oint, le Christ : le restaurateur de l'humanité dans
la grâce de Dieu.

Sa verticalité au centre de la composition, qui rejoint celle du
rayon lumineux, exprime sa transcendance soulignée par la lumi-
nosité de son corps. Du fait de l'absence de perspective et de ses
rives escarpées, le Jourdain est comparable à la mandorle du
Christ au Thabor : le personnage central est isolé et montré dans
sa divinité. Le même témoignage de Dieu le Père y retentit d'ailleurs (Mt 17, 5 ; Mc 9, 7 ; Lc 9, 35).

L'attitude de Jésus dénote l'autorité et l'assurance : il bénit, esquisse un pas en avant.

Ces derniers traits décrivent aussi l'homme nouveau, le nouvel Adam, prototype de tous les hommes, authentiquement roi de la création, image et ressemblance de Dieu (Gn 1, 26), dont la nudité, dépeinte d'une manière non naturaliste, apparaît comme profondément simple et spirituelle, et ne revêt aucune connotation de honte (Gn 3, 10).

Cependant, une certaine gravité règne : son baptême est pour Jésus *l'anticipation de sa mort et de sa résurrection,* selon Marc 10, 38-39 et Luc 12, 50. Le Christ descend dans l'obscurité des eaux de la mort (Ps 18, 5), délimitées par le découpage abrupt des rives du fleuve, comme les Enfers sur l'icône de la descente aux Enfers.

De plus, on montre parfois Jésus debout sur un escabeau ou un rocher qui s'élève entre deux eaux, de dessous lequel sortent des serpents furieux mais impuissants, dressés contre le Fils de Dieu. L'analogie avec la descente aux Enfers, explicitée par les textes liturgiques, est claire.

Dans le Christ, Dieu descend à la rencontre des trois régions cosmiques : le ciel, la terre et les Enfers. Il y étend son règne et les régénère. L'univers redevient le lieu de l'harmonie entre Dieu et les hommes, anticipation du paradis, selon Romain 8, « afin que par les éléments, par les anges et par les hommes, par les choses visibles et invisibles, soit loué son Nom très saint » (consécration de l'eau).

LE PROPHÈTE, PRÉCURSEUR ET BAPTISTE JEAN

Il est Élie qui doit revenir et dont il porte les traits hirsutes et le vêtement (Ml 3, 23 ; Mt 3, 4 ; 11, 2-14 ; 17, 10 ; Mc 9, 9). Témoin de la Théophanie, il a souvent la tête et les yeux tournés vers la colombe. Penché en avant, il porte la main droite vers la tête de Jésus pour accomplir avec crainte le rite baptismal, tout en le désignant de l'autre main comme l'Élu de Dieu (Jn 1, 34). Sa prédication vigoureuse, pour exciter les foules au repentir et leur permettre d'échapper au jugement qu'inaugure la venue du Messie, est évoquée par la cognée posée au pied d'un arbre, selon Matthieu 3, 10 et Luc 3, 9 : « Déjà la cognée se trouve à la racine des arbres ; tout arbre qui ne fait pas de bon fruit est coupé et jeté au feu. »

LES ANGES

Un groupe d'anges assiste toujours au baptême du Christ, sur la rive opposée à Jean-Baptiste. Dans l'Évangile, ils n'interviennent en fait qu'un peu plus tard, après les tentations de Jésus au désert, où il est dit qu'ils « le servaient » (Mt 4, 11 et Mc 1, 13), terme qui possède un sens cultuel. Le propre des anges est en effet d'adorer Dieu, ce qu'ils font en entourant Dieu fait homme, les mains couvertes en signe de respect. Un ange lève parfois la tête pour contempler le ciel ouvert ou la colombe.

LE FLEUVE

L'eau est à la fois lumineuse et sombre, tombeau liquide et repaire des dragons-démons, ou, transformée par l'immersion du Seigneur et le vol de la colombe (Gn 1, 2), source de vie.

Dans l'eau, le dos tourné, un personnage muni d'un vase d'où sort un courant symbolise le Jourdain. Parfois ils sont deux : Jor et Dan, deux affluents qui, réunis, forment le Jourdain. On les trouve aussi comme sources du fleuve, versant leur urne du haut des rochers. On peut encore voir, vis-à-vis de la personnification du Jourdain, celle de la mer, figure féminine verdâtre, couronnée, chevauchant un dragon qui s'éloigne. Ces figures pittoresques évoquent le psaume 113, repris pendant la célébration liturgique de la fête, qui exprime l'aspect formidable de l'apparition sur terre du Dieu tout-puissant et son retentissement cosmique : « Qu'as-tu, mer, à t'enfuir ; Jourdain, à retourner en arrière ?... Tremble, terre, devant la face du Maître. »

On peut aussi trouver un monstre échoué et ensanglanté, ou coupé en deux, ou même un homme, spécialement lorsqu'il s'agit de commenter le psaume 73 (74), v. 13-14 : « C'est toi qui as divisé la mer par ta puissance, toi qui as brisé la tête des monstres dans les eaux », en référence à Ézéchiel 29, 2 : « Voici que je viens à toi, Pharaon, roi d'Égypte, toi le grand crocodile, couché au milieu de tes fleuves. »

EN OUTRE

Dans une vaste composition, on peut encore rencontrer la conversation de Jésus et du Précurseur, généralement située en haut à gauche ; des groupes venus écouter l'appel à la repentance lancé par Jean et se faire baptiser par lui ; parfois encore des enfants nageant dans l'eau.

DANS LES PROGRAMMES ICONOGRAPHIQUES

Il est à noter que la Théophanie constitue, avec la Nativité, la Crucifixion et la Descente aux Enfers, l'un des événements privilégiés remplaçant parfois la représentation des quatre évangélistes sur les trompes qui supportent la coupole d'une église. Ces quatre épisodes expriment en effet « visuellement ce lien du ciel et de la terre établi dans la vie même du Christ, annoncé par les évangélistes et symbolisé dans la topographie architecturale des églises par la base de la coupole[1] ».

---

1. Suzy DUFRENNE, *Les programmes iconographiques des églises byzantines de Mistra,* Klinksieck, Paris, 1970.

X

11.

LA TRANSFIGURATION DE NOTRE-SEIGNEUR JÉSUS-CHRIST
(6 août)

En grec : ʽΗ ΜΕΤΑΜΌΡΦΩϹΙϹ ΤΟῨ ΚΥΡΊΟΥ ʽΗΜῶΝ ᾽ΙΗϹΟῨ ΧΡΙϹΤΟῨ
Hè metamorphôsis tou Kuriou hèmôn Ièsou Christou

En slavon : ПРЕОБРАЖЕ́НИЕ ГО́СПОДА НА́ШЕГО ЙИСУ́СА ХРИСТА́
Preobraženié Gospoda našego Iisusa Hrista

ORIGINE, SOURCES, LITURGIE

Les moines du Sinaï célébraient la Transfiguration du Christ le 6 août au milieu du VIIe siècle. Arméniens et Syriens les ont probablement devancés en le faisant dès le IVe siècle.

En Occident, il est possible que la fête, diffusée par les monastères de Cluny, soit venue d'Espagne où elle est attestée au IXe siècle. Mais ce n'est qu'en 1457 que le pape de Rome Calixte III l'insère dans le calendrier de son Église en mémoire de la victoire remportée à Belgrade par Jean Hunyadi sur les Turcs le 22 juillet 1456.

L'ÉCRITURE

Les textes scripturaires évoquant directement l'événement de la Transfiguration du Seigneur sont les suivants :
Matthieu 17, 1-9, qui est lu à la liturgie ;
Marc 9, 2-8 ;
Luc 9, 28-36, qui est lu aux matines ;
2 Pierre 1, 16-19, qui est lu à la liturgie.
Par ailleurs, l'office des vêpres propose le récit de l'expérience de la gloire de Dieu qu'ont vécue les prophètes Moïse et Élie sur le mont Sinaï :
Exode 24, 12-18 ;
Exode 33, 11-23 ; 34, 4b, 5-6, 8 ;
1 Rois 19, 3-9, 11-13a, 15a, 16b-17a.
À ces textes, on peut encore ajouter :
« Père, glorifie-moi de la gloire que j'avais près de toi avant que fût le monde. » (Jn 17, 5.)
« Je leur ai donné la gloire que tu m'as donnée, pour qu'ils soient un comme nous sommes un. » (Jn 17, 22.)
« Nous tous qui réfléchissons comme en un miroir la gloire du Seigneur, nous sommes transformés en cette même image, toujours plus glorieuse, comme il convient à l'action du Seigneur, qui est Esprit. » (2 C 3, 18.)
« Le Dieu qui· a dit : ''Que du sein des ténèbres brille la lumière'', est celui qui a brillé dans nos cœurs, pour faire resplendir la connaissance de la gloire de Dieu, qui est sur la face du Christ. » (2 C 4, 6.)
Dans le contexte de la première annonce de la Passion (cf. Mt 16, 21 *sqq.* ; Mc 8, 31 ; Lc 9, 22), Jésus veut préparer à l'épreuve de façon particulière ses trois apôtres Pierre, Jacques et Jean : il leur procure un bref instant la vision de ce qu'il est vraiment et du Royaume de Dieu « venu avec puissance » (Mc 9, 1), dont l'expérience définitive doit être donnée avec la Résurrection.

LA TRADITION

À partir de ces textes, les Pères de l'Église — notamment Cyrille d'Alexandrie, Maxime le Confesseur, Jean Damascène et

Grégoire Palamas — ont développé leurs propos sur la divinisation du chrétien.

Ils attestent que la lumière que les apôtres ont vue émaner de Jésus sur le mont Thabor est bien incréée ; qu'elle est le rayonnement des énergies divines ; qu'elle est la gloire de Dieu : Dieu lui-même en tant qu'il permet à l'homme de percevoir comme le poids de sa présence dans une immédiateté en même temps paisible et impressionnante, remplie tout à la fois de vérité, de bonté, de beauté, de joie. « Dieu est lumière », dit saint Jean (1 Jn 1, 5b). Voir cette lumière, c'est rencontrer Dieu et le connaître alors qu'il se communique à sa créature en pénétrant dans son cœur préparé par la prière et l'ascèse. Toutes les facultés humaines réunifiées dans ce lieu spirituel du cœur deviennent capables, dans une certaine mesure, de « sentir » Dieu.

La foi et les sacrements — notamment l'Eucharistie, où le Corps glorieux du Christ s'unit à notre corps pour l'illuminer de l'intérieur — constituent l'accès habituel à cette lumière du divin qui imprègne l'humain. Après la communion eucharistique, on chante : « Nous avons vu la lumière véritable, nous avons reçu l'Esprit céleste, nous avons trouvé la vraie foi en adorant la Trinité indivisible, car c'est elle qui nous a sauvés. » Autrement dit, les termes de salut et de lumière sont équivalents, ainsi que ceux d'union avec Dieu, de connaissance de Dieu et de vision de Dieu.

Voir signifie participer soi-même à la gloire, au rayonnement de cette lumière dont la manifestation selon un mode mystérieux anticipe sur la résurrection et la vie au royaume des cieux. Ainsi Motovilov, qui assistait à la transfiguration de son ami le saint starets Séraphin de Sarov, irradiait-il lui aussi la même gloire, d'abord à son insu. La résurrection corporelle des hommes les rendra capables de voir la gloire divine. Sur la montagne, les trois apôtres ont reçu la grâce d'une adaptation momentanée et partielle de leurs yeux anticipant la condition des ressuscités. Ils ont ainsi été en mesure d'apercevoir la lumière dite « thaborique », c'est-à-dire l'énergie de la nature divine du Verbe de Dieu transfigurant sa nature humaine, « car en lui habite corporellement toute la plénitude de la Divinité » (Col 2, 9), phénomène en lui-même permanent durant sa vie terrestre mais invisible à l'œil « de chair ».

LA LITURGIE

Les textes liturgiques forment une lecture ecclésiale particulièrement riche et pertinente de ce qu'annonce la Bible.

« Tu t'es transfiguré sur la montagne, Christ Dieu, montrant à tes disciples ta gloire, autant qu'il leur était possible de la voir. Pour nous aussi, pécheurs, fais briller ta lumière éternelle, par les prières de la Mère de Dieu. Ô toi qui donnes la lumière, gloire à toi ! » *(Tropaire.)*

« Tu t'es transfiguré sur la montagne, ô Christ Dieu ; tes disciples contemplèrent ta gloire autant qu'ils en étaient capables, afin de comprendre, lorsqu'ils te verront crucifié, que ta passion est librement voulue, et de proclamer au monde que tu es vraiment le reflet du Père. » *(Kondakion.)*

« Toi qui t'es transformé dans la gloire sur le mont Thabor, Christ Dieu, et qui as montré à tes disciples la gloire de ta divinité, illumine-nous aussi de la lumière de ta connaissance et conduis-nous dans les sentiers de tes commandements, car tu es le seul bon et ami des hommes. » *(Liturgie.)*

« Celui qui jadis conversa avec Moïse sur le mont Sinaï au moyen de symboles et lui dit : ''Je suis celui qui suis'', s'est transfiguré aujourd'hui sur le mont Thabor devant ses disciples pour leur montrer en lui la nature humaine revêtue de la beauté originelle de son archétype. Et convoquant auprès de lui Moïse et Elie pour être témoins d'une si grande grâce, il les faisait participer à sa joie, eux qui d'avance annonçaient sa mort par la croix et sa résurrection rédemptrice. » *(Apostiche des vêpres.)*

« [...] Tu as fait resplendir à nouveau la nature assombrie d'Adam, la transformant en la gloire éclatante de ta divinité. C'est pourquoi nous te crions : Créateur de l'univers, Seigneur, gloire à toi ! » *(Apostiche des vêpres.)*

« Étant Dieu le Verbe, tu es devenu tout entier mortel après avoir mêlé l'humanité à toute la divinité dans ta personne ; c'est elle que Moïse et Élie virent sur le mont Thabor en ses deux natures. » *(Ode 3, canon 2.)*

« Tu m'as séduit par ton désir, ô Christ, et tu m'as transformé par ton amour divin. Brûle mes péchés au feu immatériel et daigne me remplir de ta douceur, afin que tressaillant d'allégresse je magnifie tes deux avènements, ô toi qui es bon. » *(Ode 9, canon 2.)*

« Ô Verbe, lumière immuable de la lumière du Père inengendré, nous avons vu aujourd'hui sur le Thabor, dans ta brillante lumière, la lumière qu'est le Père et la lumière qu'est l'Esprit illuminant toute créature. » *(Exapostilaire.)*

L'ICONOGRAPHIE

Avec celle de la Crucifixion, la Transfiguration du Christ est le thème d'icône par excellence, condensant dans sa lumière l'expérience de la rencontre de Dieu et de l'homme, communion transformante où l'homme, pénétré par les énergies de l'amour de Dieu, en devient participant et reflète la même lumière dans sa configuration au Seigneur Jésus.

Cela est fondamental et explique la prescription athonite demandant que le jeune iconographe — qui devrait d'ailleurs toujours commencer son activité par l'exécution de la Transfiguration — « prie avec larmes, afin que Dieu pénètre son âme ; qu'il aille trouver le prêtre afin que celui-ci prie sur lui et récite l'hymne de la Transfiguration ».

Cela explique aussi que toute icône doive être illuminée de la lumière du Thabor, qui situe personnes et événements dans leur dimension d'éternité. Cette lumière thaborique est indiquée par le fond d'or, fort éloquemment nommé « lumière », par les hachures dorées, par la lumière qui illumine les personnages de l'intérieur tandis qu'aucune source extérieure d'éclairage n'est jamais représentée. Rien de naturaliste ne doit faire céder le pas de la lumière spirituelle de la Transfiguration à la lumière naturelle, qui tend à créer une illusion de la réalité.

Le thème iconographique de la Transfiguration remonte à Justinien. Il s'appliquait aux absides de la période ancienne de Byzance. On connaît les exemples célèbres de S. Apollinare in Classe à Ravenne (549), dont l'interprétation de saint Jean Chrysostome fait une révélation de la mort triomphale du Pantocrator sur le Golgotha, et de l'église du monastère Sainte-Catherine du mont Sinaï, pure œuvre de l'art de cour byzantin (565-566). On y voit les symboles de la Croix triomphale entre des Victoires, l'agneau rappelant la mort du Christ, et un Moïse au buisson ardent et recevant la Loi qui figure en fait l'empereur depuis qu'Eusèbe disait de Constantin qu'il était le « nouveau Moïse du peuple chrétien ».

La synthèse opérée iconographiquement manifeste une théophanie où se dévoile l'identité complète du Seigneur Jésus ; où se dessine l'avenir de l'homme dans le Christ qui récapitule toute l'humanité, et l'avenir de tout l'univers ; où s'annonce la paix messianique que le retour du Seigneur à la fin des temps établira mais à laquelle il est déjà possible d'accéder par le renoncement radical où conduit l'amour divin : la Croix.

LA COMPOSITION

Elle se dispose en deux registres. Une partie supérieure d'abord, où se dessine la verticalité de la figure du Christ, accentuée par les courbes formées par les prophètes Moïse et Élie. Le registre inférieur est au contraire occupé par l'alignement mouvant mais horizontal des Apôtres.

LE CHRIST

La verticalité

Le Christ est debout au centre et au sommet de la composition, dans une verticalité qui exprime le mouvement cieux-terre-cieux d'un être dépassant la condition humaine habituelle avec ses limitations dans l'espace et le temps. Jésus est transcendant et jouit de toute autorité. Il bénit de la main droite et tient de la gauche le rouleau qui le désigne comme l'unique maître de la Loi qu'il accomplit, conformément à la Parole du Père : « Écoutez-les. » (Mt 17, 5 ; Mc 9, 7 ; Lc 9, 35.)

Les symboles lumineux

Le vêtement du Christ éclate de lumière. Il évoque par là la sainteté, la perfection, la pureté, la transcendance, la gloire et l'incorruptibilité de l'être divin qui en est revêtu. Le Seigneur n'est-il pas « celui qui se vêt de lumière comme d'un manteau » (Ps 103-104, 1b-2a) ? Il n'est pas inutile de noter que la racine sanscrite « div », d'où dérivent les mots « Dieu » et « divin », signifie « briller » ou « jour ».

Dans l'Antiquité, les vêtements brillants étaient associés à la fonction sacerdotale et messianique. Les rois étaient intronisés par la vêture des habits royaux, le vêtement symbolisant la personne. Le Messie vient instaurer le règne de Dieu d'une manière sacrificielle, sacerdotale, par le don total de sa personne, non par la domination.

> *« C'est moi qui ai sacré mon roi*
> *sur Sion, ma sainte montagne. »*
> *J'énoncerai le décret du Seigneur :*
> *il m'a dit : « Tu es mon Fils,*
> *moi, aujourd'hui, je t'ai engendré. [...] »*
>
> (Ps 2, 6-7).

Des rayons de lumière émanent du corps du Sauveur et inondent tout. Il est « l'astre du matin » dont parle Pierre (2 P 1, 19) et qui éclipse le soleil, annonçant la Jérusalem nouvelle qu'illumine la gloire de Dieu et dont le flambeau est l'Agneau (Ap 21, 23).

Il rappelle aussi avec juste raison le buisson ardent contemplé par Moïse, où Dieu révéla au prophète le nom toujours porté par Jésus dans son nimbe : 'O' ὼN *(ho ôn),* Celui qui est (Ex 3, 1-6, 13-15).

« De ta chair partaient les éclairs de ta divinité [...]. »

« Feu immatériel ne consumant pas la matière corporelle : ainsi tu t'es manifesté à Moïse, aux Apôtres et à Élie, ô Maître, qui es un de deux natures et en deux natures parfaites. »

« Tu as gardé intact le buisson auquel le feu s'associait, tu as montré à Moïse ta chair toute brillante de la divinité [...]. »

« Le soleil fut éclipsé par les rayons de la divinité lorsqu'il te vit transfiguré sur le mont Thabor, ô mon Jésus. Gloire à ta puissance, Seigneur ! » *(Ode 4, canon 2.)*

Le nimbe valorise d'un éclat divin les personnages en ce qu'ils ont de plus noble : leur tête. Le pôle de toute la composition est d'ailleurs le visage nimbé du Christ.

L'auréole est le cercle de gloire divine qui entoure le Christ. Elle est souvent formée de trois cercles concentriques contenant tous les mystères de la création : l'univers corruptible est ainsi transformé en paradis au centre duquel Dieu trône.

Au milieu de l'auréole, la lumière est si intense qu'elle en paraît ténébreuse : ce sont les ténèbres éblouissantes qui témoignent que, alors même que Dieu se révèle par le Saint-Esprit, il reste inaccessible en son essence. C'est la même nuée lumineuse qui signalait les manifestations divines dès l'Ancienne Alliance, au Sinaï (Ex 19, 16 ; 24, 15-16), sur la Tente de Réunion (Ex 40, 34-35), dans le Temple (1 R 8, 10-11).

« À Moïse la colonne de feu révélait très clairement le Christ transfiguré, et la nuée montrait à l'évidence la grâce de l'Esprit qui couvrait de son ombre le Thabor. » *(Ode 6, tropaire 3.)*

De cercle en cercle, vers l'extérieur, la lumière devient plus claire tout en conservant sa pureté céleste.

Une mandorle, sorte d'auréole allongée verticalement en forme d'amande, peut accentuer davantage la verticalité du personnage central. Elle signifierait en outre l'union de la terre et des cieux.

Des faisceaux lumineux comparables aux rayons d'une roue partent du corps du Christ et débordent le contour de la gloire. Anciennement, ils étaient plutôt ou exclusivement dirigés vers chaque apôtre et prophète, indiquant sa participation à la lumière contemplée. Plus généralement, ces faisceaux suggèrent la participation de tout l'univers créé à la lumière incréée, gage de son renouvellement à la fin des temps.

Une espèce de grande étoile peut encore être visible au milieu de la gloire, comme une amplification de ces faisceaux.

LA MONTAGNE

La montagne représente universellement le lieu privilégié de la rencontre de Dieu qui descend et de l'homme qui s'élève. Jésus assume dans l'histoire les anciens symboles mythiques, et c'est sur un haut lieu qu'il se manifeste comme le véritable point de rencontre entre le divin et l'humain. Bien après les événements, saint Pierre n'hésite donc pas à qualifier de « sainte » (2 P 1, 18) la « haute montagne » (Mt 17, 1 ; Mc 9, 2) de la Transfiguration, qui fut un moment illuminée comme le sera l'univers entier lors de « la révélation des fils de Dieu » (Rm 8, 19).

À l'intersection des trois régions cosmiques du ciel, de la terre et des Enfers, le Fils de Dieu entré dans la chair humaine fait pénétrer l'homme dans sa divinité.

« Comme maître du ciel, comme roi de la terre, comme ayant pouvoir sur les Enfers, ô Christ, à tes côtés les Apôtres représentaient la terre,

Élie le Thesbite venait du ciel et Moïse sortait des Enfers pour te chanter d'une seule voix : peuple, exalte le Christ dans les siècles. » *(Ode 8, canon 2.)*

LA CROIX

La montagne de la Transfiguration évoque un autre sommet, où fut « élevé » le Fils de l'homme. Sur le calvaire, le Grand Prêtre, image du Dieu invisible, s'est offert lui-même comme victime et a mis fin à la distance qui séparait Dieu et les hommes. Dans un acte éloigné de tout mythe, Dieu même s'est fait homme et est descendu jusque dans la mort pour conduire l'humanité déchue des ténèbres à la lumière. La verticalité du Christ, axe de toute la composition, évoque à la fois la descente et la remontée du Seigneur.

De plus, on peut remarquer dans bon nombre de représentations une sombre anfractuosité ouverte dans le flanc de la montagne ; elle rappelle celle dans laquelle le crâne d'Adam gît sous le calvaire.

La position du Christ entre les prophètes peut aussi faire penser à la crucifixion entre sa Mère et l'apôtre Jean, ou entre les larrons.

La croix figure d'abord de façon explicite dans le nimbe du Seigneur, et c'est vers elle que semble s'élever l'élan vertical de la composition. Cela est cohérent avec les récits évangéliques et le commentaire qu'en font les textes liturgiques. Jésus ne s'entretient-il pas de son « exode » avec les prophètes (Lc 9, 31) ?

De façon plus symbolique, la croix est décelable dans les faisceaux lumineux qui s'échappent du corps de Jésus de manière symétrique, ou dans les carrés de lumière qui se superposent à l'auréole ou à la mandorle dans nombre d'exemples. Le symbole quaternaire de la croix symbolise l'universalité créée, la terre entière. Quant à l'intersection des bras de la croix, ou centre du carré, elle est le point qui permet de passer d'un univers à l'autre, de la terre au ciel, du temps à l'éternité. C'est justement ce cinquième point qu'occupe la figure de Jésus-Christ.

LES PROPHÈTES MOÏSE ET ÉLIE

Réunis dans les derniers versets de l'Ancien Testament à la suite de l'annonce du jour du Seigneur et de l'avènement du Soleil de justice (Ml 3, 22-24), Moïse et Élie accompagnent déjà le Messie sur les peintures de la synagogue de Doura-Europos.

Tous deux ont été les témoins d'une théophanie sur la montagne du Sinaï (Ex 33, 18-23 ; 34, 4-10/29-35 ; 1 R 19, 8-15). Cette fois, ils contemplent paisiblement le Christ en gloire, adaptés qu'ils sont à cette vision par leur propre glorification :

> « Protégé par un corps divinisé comme par le rocher, Moïse contempla l'invisible [...]. » *(Ode 2, canon 2.)*

Déjà transfigurés, les prophètes touchent à peine le sol, ont des proportions allongées et sont toujours nimbés. Ils sont même parfois plus ou moins inclus dans l'auréole, ce qui souligne leur participation à la gloire qu'ils contemplent. Ils peuvent aussi demeurer complètement à l'extérieur de l'auréole, ce qui permet de distinguer les figures vétéro-testamentaires du Christ et le Christ lui-même.

> « La nuée resplendissante de la Transfiguration a succédé à l'obscurité de la Loi ; Moïse et Élie, jugés dignes de cette gloire plus éclatante que la lumière et présents en elle, disaient à Dieu : Tu es notre Dieu, Roi des siècles ! » *(Lucernaire des petites vêpres.)*

Moïse est mort sur le mont Nébo (Dt 34, 5) et Élie a été enlevé vivant aux cieux (2 R 2, 1-12). On les voit fréquemment, dans les coins supérieurs de la composition, sortir respectivement d'un tombeau et d'une nuée, conduits par un ange, pour représenter aux côtés du Christ les morts et les vivants :

> « [...] Moïse et Élie étaient à tes côtés, te désignant comme le Seigneur des vivants et des morts [...]. » *(Laudes.)*

Moïse et Élie représentent encore la Loi et les prophètes que Jésus seul accomplit. Ils se présentent donc comme ses serviteurs, légèrement inclinés vers lui, et témoignent de l'accomplissement des Écritures.

> « Là s'entretenaient avec toi dans l'attitude de serviteurs, ô Christ maître, ceux à qui tu avais parlé dans la fumée embrasée, dans l'obscurité et une brise très légère [...]. » *(Ode 4.)*

LES APÔTRES

Les apôtres se tiennent dans la moitié inférieure de la composition, de façon à peu près horizontale. La montagne leur tient lieu de fond. Ils se présentent généralement dans l'ordre Pierre, Jean et Jacques. Dans son homélie sur la Transfiguration, saint Jean Damascène explique que Jésus les enseignait d'une façon privilégiée car Pierre devait devenir le « gouvernail de toute l'Église », Jacques le premier apôtre martyr (Ac 12, 2) et Jean le pur et vigoureux témoin du Verbe de Dieu (Mc 3, 17 ; Jn 1, 1).

L'icône les montre en déséquilibre, effrayés par la nuée lumineuse et la voix du Père, car ce qui est charnel et terrestre ne peut voir le divin. Cet aspect des choses est particulièrement exprimé par l'attitude de Jacques.

« [...] Ne pouvant supporter la vision à découvert de ton éclatante illumination, Pierre, Jean et Jacques tombèrent contre terre complètement incapables de lever les yeux [...]. » *(Apostiche des vêpres.)*

Ils sont aussi prosternés, l'intelligence illuminée, ce que l'attitude de Jean suggère.

« Voyant le Christ enveloppé d'une nuée lumineuse sur le Thabor, les disciples, profondément inclinés vers la terre et l'intelligence illuminée, le chantent avec le Père et l'Esprit. » *(Ode 8, canon 1.)*

Quant à Pierre, il se redresse pour parler, sa main formant le geste de l'élocution.

« Pierre, ravi en extase et sans savoir ce qu'il disait, s'écria : "Qu'il est bon d'être ici." » *(Laudes.)*

Cette réaction des apôtres, composée à la fois de frayeur et d'attirance, est caractéristique de l'attitude de l'homme en face du divin.

Les rayons qui émanent du Christ les atteignent. Les énergies divines sont vie et sanctification « pour devenir participants de la nature divine » (2 P 1, 4).

Quoique « resplendissants du torrent subit d'une lumière nouvelle » (Ode 9), les apôtres ne sont généralement pas nimbés : ils sont encore bien terrestres, ainsi que l'atteste le sommeil qui s'empare d'eux (Lc 9, 32), comme à Gethsémani.

Un certain nombre de compositions montrent en outre ceci : à mi-hauteur, à gauche, Jésus gravit la montagne avec ses disciples en les instruisant. Symétriquement, à droite, le même groupe redescend du Thabor après la Transfiguration et Jésus interdit aux apôtres de reparler de ce qu'ils ont vu avant qu'il ait ressuscité des morts (Mt 17, 9 ; Mc 9, 9). Le Christ est ici vêtu comme à l'accoutumée, ce qui souligne le contraste de la Transfiguration.

Par ailleurs, escalader la montagne signifie aussi conquérir les vertus qui disposeront à l'illumination :

« Illuminés de l'éclat des vertus, gravissons la montagne sainte pour contempler la divine Transfiguration du Seigneur. » *(Petites vêpres.)*

CONCLUSION

En tous ses éléments, l'icône de la Transfiguration nous témoigne l'amour de Dieu qui veut nous unir à lui en Jésus-Christ. Elle nous présente le Seigneur dans l'éclat de sa divinité, après les longues étapes de l'Ancienne Alliance. Il ne manifeste sa gloire que pour la communiquer avec douceur — « il les comblait et en même temps il les épargnait » (Liturgie) — et exigence — « Si quelqu'un veut me suivre, qu'il se charge de sa croix » (Mt 16, 24) — à ceux qui obéissent à la voix du Père :

« [...] Écoutez-le, lui qui, par la Croix, dépouille l'enfer et qui, aux morts, donne la vie éternelle. » *(Lucernaire.)*

Fidèles à Jésus-Christ, nous pouvons espérer voir nous-mêmes s'accomplir la prophétie de Malachie : « Pour vous qui craignez mon Nom, le Soleil de justice brillera, avec le salut dans ses rayons. » (Ml 3, 20.)

L'apôtre Jean traduit ainsi cette parole : « Nous lui serons semblables, le voyant tel qu'il est. » (1 Jn 3, 2.)

XI

ВОСКРЕШЕНІЄ ЛАЗАРА

12.

LA RÉSURRECTION DU JUSTE LAZARE
(Samedi avant les Rameaux)

En grec : ‘H ’ΕΓΕΡCΙC ΤΟΫ ΔΙΚΑΙΟΫ ΛΑΖΑΡΟΥ
Hè egersis tou dikaiou Lazarou

En slavon : ВОСКРЕШЕ́НИЕ ПРА́ВЕДНАГО ЛА́ЗАРЯ
Voskrešenié pravednago Lazarja

ORIGINE, SOURCES, LITURGIE

Bien que n'appartenant pas au groupe des diverses grandes fêtes liturgiques, la résurrection de Lazare occupe une place non négligeable dans les célébrations de l'Église : à la veille du dimanche des Palmes, elle ouvre, sur le plus grand miracle qu'ait accompli le Christ, la semaine de la Passion. On l'assimile donc souvent spontanément à l'une des grandes fêtes, si bien que nombre de cycles se voulant complets en comportent une représentation.

L'ÉCRITURE

Jean 11, 1-45.

LA LITURGIE

L'Église ouvre les solennités pascales avec le samedi de Lazare la veille des Rameaux ; elle commémore ainsi le grand miracle de la résurrection par le Seigneur de son ami, mort depuis quatre jours, qui anticipe le triomphe définitif remporté sur la mort à Pâques.

L'attitude hostile d'une partie des témoins provoque d'ailleurs l'enchaînement des événements tragiques où le Christ entrera librement pour se faire conduire au Golgotha et accomplir la prophétie de Caïphe (Jn 11, 50-52).

De plus, l'office exploite les larmes et la puissance du Christ pour confesser son humanité et sa divinité véritables.

« Seigneur, voulant voir le tombeau de Lazare, toi qui savais que tu allais demeurer dans un tombeau, tu as demandé : "Où l'avez-vous mis ?" Apprenant ce que tu n'ignorais pas, tu as crié à celui que tu aimais : "Lazare, sors !" Et celui qui était sans vie obéit à celui qui lui donnait la vie, toi le Sauveur de nos âmes. » *(Idiomèle du lucernaire.)*

« Seigneur, voulant que tes disciples croient à ta résurrection des morts, tu t'es approché du tombeau de Lazare. Et quand tu l'as appelé l'enfer fut dépouillé et libéra le mort de quatre jours qui te criait : "Béni Seigneur, gloire à toi !" » *(Idiomèle du lucernaire.)*

« Tu as brisé les portes de l'enfer quand tu as appelé Lazare. Tu as ébranlé le pouvoir de l'ennemi et tu lui as appris à trembler devant toi avant même de monter sur la croix, ô seul Sauveur. » *(Complies, 1re ode.)*

« Puisque tu as réveillé Lazare par ta parole divine, ô Christ, relève-moi aussi, je t'en prie, moi qui suis mort à cause de mes nombreux péchés. » *(Matines, 3e ode.)*

« Par Lazare, le Christ te dépouille déjà, ô Mort ; et où est, Enfer, ta victoire ? La lamentation de Béthanie est maintenant transportée en toi ! Agitons tous en son honneur des palmes de victoire. » *(Exapostilaire.)*

« [...] C'est au tombeau de Lazare que je veux opérer un prodige, réalisant le préambule de ma croix, et accordant à tous le pardon divin. » *(Ikos.)*

L'ICONOGRAPHIE

Dès les plus anciennes catacombes, fin du IIe siècle, la résurrection de Lazare a été représentée, de façon sommaire mais noble, comme un exemple de salut accordé par Dieu dans le passé, dans l'espoir que Dieu sera propice de la même manière aux défunts dont les corps reposent à proximité de l'image.

Petit à petit, jusqu'au IVᵉ siècle, les peintres vont exécuter des images plus descriptives. La mosaïque de Saint-Apollinaire-le-Neuf à Ravenne, du VIᵉ siècle, marque l'entrée de ce thème dans l'iconographie byzantine.

La composition représente les éléments rapportés par saint Jean dans l'Évangile.

D'emblée, généralement à droite, LAZARE apparaît dressé à l'entrée du monument funéraire, éclatant de la blancheur des bandelettes mortuaires qui contrastent avec la couleur noire qui caractérise l'intérieur du sépulcre. Il est souvent auréolé, littéralement *phôtostéphanos,* c'est-à-dire couronné de lumière, ce qui s'applique spécialement aux représentations du XIIᵉ siècle.

Le blanc, qui s'impose sur l'image par son rayonnement, est depuis une haute Antiquité la couleur des linceuls ; en même temps qu'il est la couleur de la divinité et un présage d'immortalité, il comporte un aspect négatif que signale le pseudo-Denys : la destruction du monde terrestre.

Lazare est donc bien glorieusement arraché aux ténèbres de la mort qui emplissent le tombeau. Ce dernier est souvent composé d'un sarcophage couché dans une construction funéraire — cela est plus fréquent dans les représentations archaïques — ou dans une grotte à l'entrée brute et découpée. Si l'entrée de la grotte est soigneusement taillée, avec même une bordure façonnée, il n'y a pas de sarcophage. Quelquefois, comme dans un psautier du IXᵉ siècle du monastère athonite du Pantocrator, on voit Satan lâcher l'âme de Lazare qu'il serrait contre lui et qui, poursuivie par des démons, retrouve son corps, lequel, alors, recouvre la vie.

En face de Lazare, JÉSUS-CHRIST, le Verbe de Dieu fait homme dont la main gauche tient le rouleau de sa prédication, étend la main droite aux doigts disposés pour bénir et donne l'ordre à son ami défunt de sortir du tombeau. Le groupe des apôtres, sans nimbe, avec Pierre montrant le Christ au premier rang, se serre autour de Jésus comme ne faisant qu'un avec lui.

Symétriquement à la colline où est creusé le tombeau de Lazare, un roc se dresse derrière Jésus et son groupe, sauf dans les compositions archaïques. Les deux personnages principaux sont donc ainsi bien campés en vis-à-vis, et LES ROCHERS aux formes particulières sont aussi conçus pour faire entrer le spectateur dans la représentation selon les lois de la perspective inversée.

Entre les rochers, on distingue les remparts du village de Béthanie, aux abords duquel se déroule l'action. En dessous, entre Jésus et Lazare, DEUX GROUPES peuvent exprimer deux attitudes principales en face de Jésus.

Le premier groupe est constitué des nombreux *juifs* venus de Béthanie avec les sœurs de Lazare pour les consoler. Ils murmurent en se bouchant le nez à cause de l'odeur dégagée par le cadavre de quatre jours : « Ne pouvait-il pas faire que cet homme ne mourût pas ? » (Jn 11, 37.)

Le deuxième groupe est celui desdites sœurs, *Marthe et Marie,* qui sont prosternées aux pieds de Jésus, les mains couvertes des pans de leur manteau en signe de respect, pour confesser : « Je crois que tu es le Christ. » (Jn 11, 27.)
On voit encore un ou deux personnages secondaires qui s'affairent à enlever la pierre du sépulcre et à libérer le ressuscité de ses bandelettes.

*

L'iconographie de la résurrection de Lazare actualise bien le récit évangélique dans le contexte liturgique de l'Église, non seulement en transposant en image les événements, mais encore en faisant entrer le spectateur dans son cadre par sa technique propre et sa composition même, de façon qu'il entende la question posée à Marthe par Jésus, et soit provoqué à y répondre : « Je suis la Résurrection. Qui croit en moi, fût-il mort, vivra ; et quiconque vit et croit en moi ne mourra jamais. Crois-tu cela ? » (Jn 11, 26.)

XII

ВХОДЪ ГОСПОДЕНЬ ВЪ ІЄРУСАЛИМЪ

13.

ENTRÉE DU SEIGNEUR À JÉRUSALEM
(Dimanche des Rameaux)

En grec : ʽΗ ΒΑΤΦΌΡΟC (littéralement : le port des rameaux)
Hè baïphoros

En slavon : ВХОД ГОСПÓДЕНЬ В ИЕРУСАЛЍМ
Vhod Gospoden' v Iérusalim

ORIGINE, SOURCES, LITURGIE

Dès le IVe siècle, à Jérusalem, Éthérie raconte qu'une procession conduite par l'évêque partait du mont des Oliviers, six jours avant la Pâque du Christ, pour arriver à la nuit au Golgotha. Répandue partout, cette procession n'est pas connue comme certaine à Byzance avant 900 et a d'ailleurs disparu du rite byzantin, sauf dans l'Église melkite.

Cette solennité compte parmi les douze grandes fêtes. Elle exalte celui qui a fait sortir du tombeau un mort de quatre jours et qui se montre Seigneur et Messie au moment de verser son sang afin de sceller la Nouvelle Alliance.

L'ÉCRITURE

Matthieu 21, 1-11 ; Marc 11, 1-11a ; Luc 19, 29-40 ; Jean 12, 12-19.

Les évangélistes reprennent les prophéties d'Isaïe 62, 11, de Zacharie 9, 9, et citent le psaume 117 (118), 25-26.

Voir aussi Genèse 49, 11 et Juges 5, 10.

LA LITURGIE

C'est un triomphe que célèbre l'Église avec enthousiasme, tandis qu'on sent monter la semaine de la Passion. Le Prince de la Vie marche vers la victoire définitive que la résurrection de Lazare avait fait entrevoir : par sa mort, il va vaincre la mort.

« T'ayant tout d'abord chanté avec des rameaux, les Juifs insensés t'accueillirent plus tard avec des morceaux de bois, ô Christ Dieu. Quant à nous, nous t'honorons toujours d'une foi immuable comme notre bienfaiteur, et ne cessons de crier : "Tu es béni, toi qui viens faire sortir Adam du tombeau." » *(Hypakoï.)*

« [...] Tandis que Jésus s'approchait de Jérusalem pour aller à sa passion volontaire, le peuple assis dans les ténèbres et l'ombre de la mort, prenant en main des branches d'arbres et des feuilles de palmiers, signes de la victoire, prédisait sa Résurrection [...]. » *(Prière pour la distribution des rameaux.)*

« Voici que ton Roi, Sion, s'avance doux et sauveur sur un ânon, cherchant ses ennemis pour les frapper avec force ; réjouis-toi en célébrant cette fête avec des palmes. » *(Lucernaire, petites vêpres.)*

« Toi qui t'avances sur les chérubins et qui es chanté par les séraphins, ô toi qui es bon, tu es monté comme David sur un ânon. Les enfants chantaient un Dieu et les Juifs te blasphémaient injustement. Le trône de l'ânon signifiait que la révolte des nations allait passer de l'infidélité à la foi. Gloire à toi, ô Christ qui, seul, es miséricordieux et ami des hommes. » *(Aposticke de la liturgie.)*

« Sois tout à la joie, Sion, car le Christ ton Dieu a commencé son règne dans les siècles ; c'est lui qui, selon qu'il est écrit, est venu sur un ânon dans la douceur et en sauveur comme notre juste libérateur pour détruire l'audace des cavaliers de l'Ennemi de ceux qui crient : "Toutes ses œuvres, louez le Seigneur !" » *(Ode 8.)*

« Toi qui au Ciel es sur un trône, et qui sur la terre viens sur un ânon, Christ Dieu, [...] tu es béni, toi qui viens faire sortir Adam du tombeau." » *(Kondakion.)*

L'ICONOGRAPHIE

L'iconographie de l'Entrée du Christ à Jérusalem remonte au IVe siècle. Tout en suivant les textes évangéliques, les artistes se sont laissés influencer par les modèles iconographiques impériaux : ainsi les Barbares vaincus offrent-ils des couronnes à l'empereur, ou le souverain est-il représenté, lors de son entrée dans une ville, accueilli par les notables chargés de présents ou à l'attitude suppliante alors qu'il se présente à cheval devant les portes, suivi de ses hommes, pour l'*adventus*. L'Entrée à Jérusalem du diptyque en ivoire d'Etchmiadzin (conservé à Erevan) est particulièrement éloquente à ce sujet. Le sarcophage de Junius Bassus (359 ; au Vatican) groupe un ensemble d'images-signes sur le thème du salut où figure une Entrée à Jérusalem qui ouvre le cycle de la rédemption.

LE CHRIST

Au centre de la composition, allant en général de gauche à droite, le Christ entre dans sa ville en roi messianique. Il porte le nimbe crucifère et est vêtu de la tunique et du manteau habituels. Il est assis sur l'âne comme sur un trône, les deux jambes du même côté et de face ou, au contraire, de dos mais se tournant vers le spectateur. Il n'est jamais à califourchon. Il bénit de la main droite tandis qu'il tient de la gauche le rouleau des Écritures.

L'ÂNE

L'âne, selon les prophéties, manifeste le caractère humble et pacifique du Royaume que Jésus vient établir. Cette modeste monture — déjà utilisée par les rois d'Israël qui ne devaient pas régner comme les autres rois — est cependant blanche, de la couleur du triomphe. Bien des artistes n'hésitent pourtant pas à pousser le pittoresque aux dépens de la majesté de la scène, en faisant baisser la tête de l'animal jusqu'à flairer le sol ou en lui faisant croquer la palme d'un enfant. Certains textes — tel le Synaxaire — n'interprètent-ils pas l'âne comme les nations païennes que dompte le Christ ?

LES APÔTRES

Le groupe des apôtres escorte Jésus. Souvent, ils ne sont pas nimbés. Au premier rang, on distingue deux apôtres au geste décidé : Pierre et surtout Thomas, reconnaissable à son visage jeune et imberbe, rarement à l'inscription de son nom. Thomas ne s'était-il pas exclamé, lorsque Jésus avait décidé de retourner en Judée — où on voulait sa mort — pour rendre la vie à Lazare : «Allons-y, nous aussi, et mourons avec lui»? (Jn 11, 16.)

LE CADRE

Jésus et ses apôtres viennent de Béthanie — certaines icônes en représentent des demeures entre les rochers — où le prodige de la résurrection de Lazare a provoqué à la fois la condamnation à mort du thaumaturge et l'enthousiasme du peuple. Ils finissent de descendre la pente raide d'une colline qui s'élève en face de la masse compacte de *Jérusalem,* serrée dans ses murailles, dont les toits colorés égaient la composition. Ce roc aux lignes fantastiques faites pour introduire la perspective inversée dans le paysage, c'est le *mont des Olivers,* parfois pris pour le Golgotha, ce qui n'est pas sans signification. Dans le même sens, on peut découvrir au milieu des toits de la ville la coupole du *Saint-Sépulcre.* C'est que cette basilique chrétienne évoque, quoique de façon anachronique, le Temple où s'achève l'entrée de Jésus, acclamé par les enfants (Mt 21, 10-16). D'autre part, elle annonce la mort et la Résurrection qui constituent le but de la venue de Jésus-Christ. Son sacrifice pascal abolit d'ailleurs l'ancien Temple et le pose, lui, comme le Temple véritable : «Détruisez ce Temple, avait-il déclaré, et en trois jours je le relèverai. Il parlait du Temple de son corps.» (Jn 2, 19-21.)

LA FOULE

La foule se presse maintenant aux portes de la ville sainte. En vêtements colorés, hommes et femmes viennent en cortège à la rencontre du Sauveur, des palmes à la main. Certaines femmes portent des nourrissons qui participent à l'acclamation, et des enfants en tunique courte, parfois organisés en groupes, étendent des vêtements sous les pas de l'âne, agitent des palmes, montent à l'arbre pour en couper les branches ou pour mieux voir, ou encore recueillent au bas de l'arbre les rameaux coupés. Ce sont les « enfants des Hébreux », selon une expression sémitique que les textes liturgiques reprennent abondamment et qui est prise au pied de la lettre ; elle signifie simplement les Hébreux. Ils proviennent aussi de l'épisode évangélique ultérieur que rapporte Matthieu (21, 15-16). On demande à Jésus, que des enfants acclament dans le Temple aux cris de « Hosanna au Fils de David », de les faire taire. Mais il répond : « Par la bouche des tout-petits et des nourrissons, tu t'es ménagé une louange. »

L'ARBRE

Entre la colline et la ville se dresse donc un arbre souvent original qui contribue à donner un air de fête à la composition. Dans plusieurs cas, on y distingue un personnage qui semble y être grimpé plus pour voir que pour couper des palmes, et dont le nom se révèle être Zachée. Sa présence inattendue manifeste une contamination de l'Entrée à Jérusalem par l'entrée à Jéricho que raconte saint Luc (19, 1-10). À cette occasion aussi, tout le peuple avait glorifié Dieu (Lc 18, 43) pour la guérison de l'aveugle qui avait invoqué le Fils de David (Lc 18, 38).

14.

XIII

LA CÈNE MYSTIQUE

En grec	: ῾O MYCTIKὸC ΔEῖΠNOC
	Ho mustikos deipnos
En slavon	: ТА́ЙНАЯ ВЕ́ЧЕРЯ
	Tajnaja večerja

ORIGINE, SOURCES, LITURGIE

Dès la Pentecôte, l'Église se constitue autour de l'Eucharistie (Ac 2, 42) célébrée comme le Christ l'a demandé : « Faites ceci en mémoire de moi. » (Lc 22, 19b et 1 C 11, 24c.) Au cœur de la célébration, le récit de la Cène — c'est-à-dire du repas du soir — du saint et grand Jeudi est chaque fois repris, et la puissance du Saint-Esprit en rend les fidèles participants authentiques à travers la tradition apostolique.

D'autre part, la Cène du Seigneur a aussi été le premier acte de sa Passion, contenue tout entière dans le don que le Sauveur fait de lui-même dans l'Eucharistie. Rien ne décide Judas à renoncer à vendre Jésus pour trente pièces d'argent et l'on devine aisément tout le pathétique que contient une phrase comme celle-ci : « En vérité, je vous le dis : l'un de vous me livrera, celui qui mange avec moi. » (Mc 14, 18.)

L'ÉCRITURE

Les Évangiles synoptiques ainsi que l'apôtre Paul rapportent l'institution de l'Eucharistie par le Christ. Saint Jean l'omet en présentant toutefois la dernière réunion de Jésus avec ses apôtres, un repas au cours duquel eut lieu le lavement des pieds et auquel on s'accorde à reconnaître un sens analogue à celui de la Cène. Aussi bien les compositions des deux épisodes sont-elles fréquemment rapprochées. Tous s'attardent sur Judas, dont la fin est rapportée par saint Luc (Ac 1, 16-20/25b). Jean, Luc et Paul explicitent la leçon d'amour fraternel donnée par Jésus.

Matthieu 26, 20-30 ; Marc 14, 17-26 ; Luc 22, 14-38 ; 1 Corinthiens 11, 23-32 ; Jean 13, 1-31.

LA LITURGIE

À la suite des Écritures, l'office du saint et grand Jeudi médite à la fois sur l'institution de l'Eucharistie, la trahison de Judas et le lavement des pieds.

« À ta Cène mystique fais-moi communier aujourd'hui, ô Fils de Dieu, car je ne révélerai pas tes mystères à tes ennemis ni ne te donnerai le baiser comme Judas ; mais comme le larron je te crie : "Souviens-toi de moi, Seigneur, dans ton Royaume." » *(Tropaire toujours récité avant la communion et chanté à la grande Entrée ainsi qu'à la communion le Jeudi saint.)*

« Après avoir reçu sa bouchée, le disciple se sépare du Pain ; méditant son marché, il va trouver les Juifs, et il dit à ces prévaricateurs : "Que m'offrez-vous et je vous le livrerai ?" » *(Complies du grand Jeudi, ode 8.)*

« Tu vends pour trente deniers l'inappréciable, et tu ne réfléchis pas, méchant Judas, sur l'initiation de la Cène ni sur l'auguste lavement des pieds ? Comme tu t'es privé pour toujours de la lumière, tu as couru à la ruine, tu as cherché ta corde. » *(Complies du grand Jeudi, ode 9.)*

« Le Christ est la Pâque grande et auguste, mangé comme du pain, immolé comme un agneau ; c'est lui qui est la victime offerte pour nous ; recevons tous mystiquement son corps et son sang avec piété. » *(Complies du grand Jeudi, ode 9.)*

« Quoiqu'il soit Seigneur et créateur de toutes choses, Dieu s'est uni sa créature, s'appauvrissant lui-même sans en rien pâtir ; étant leur Pâque, il se servait lui-même à ceux pour qui il devait mourir : "Mangez mon corps, leur criait-il, et vous serez affermis dans la foi.'' » *(Matines du grand Jeudi, ode 3.)*

« Nous approchant tous avec crainte de la table mystique, recevons le pain en des âmes pures ; demeurons près du Maître afin de voir comme il essuie les pieds de ses disciples et afin d'agir selon ce que nous aurons vu : être soumis les uns aux autres et nous laver les pieds les uns des autres. C'est là l'ordre donné par le Christ à ses disciples, mais il ne l'a pas entendu, Judas, le serviteur et traître. » *(Matines du grand Jeudi, Ikos.)*

L'ICONOGRAPHIE

La figuration narrative de la Cène du Seigneur le Jeudi saint semble apparaître au VIᵉ siècle. Une mosaïque de Saint-Apollinaire-le-Neuf à Ravenne et une miniature du *Codex purpureus* de Rossano (Calabre) en sont d'excellents témoins.

LES ÉLÉMENTS DE LA COMPOSITION

LE LIEU

L'événement se passe évidemment au cénacle, c'est-à-dire littéralement dans la pièce où s'est déroulée la Cène. Iconographiquement, le repas est représenté devant un décor d'édifices plus ou moins imaginaires, parfois rehaussés de la tenture rouge indiquant qu'on est en réalité à l'intérieur. Souvent aussi, on ne voit aucun décor, mais seulement un fond uni.

LA DISPOSITION DES CONVIVES

Autour d'une table semi-circulaire, Jésus et les douze apôtres sont dépeints avec réalisme sur le *stibadeion*. Il s'agit d'un lit ressemblant au *sigma* lunaire des Grecs, et sur lequel pouvaient prendre place jusqu'à douze personnes ; l'hôte ou le président du repas s'installait à l'extrémité droite — à gauche sur les images —, place d'honneur occupée par Jésus ; les convives étaient étendus, le bras gauche appuyé sur un coussin (cf. Mc 14, 15 et Lc 22, 12) et le droit restant libre. Selon l'évolution de la pratique juive, cette adoption de la coutume gréco-romaine voulait affirmer la liberté royale du peuple délivré et guidé par Dieu.

Par la suite, la coutume des repas couchés s'étant perdue, on a cependant continué à représenter Jésus ainsi que l'apôtre Pierre sur un matelas à chaque extrémité de la table, tandis que les apôtres étaient assis derrière la table.

Peut-être d'origine cappadocienne, une longue table rectangulaire remplace parfois celle en sigma, laquelle a pu aussi devenir une table ronde, exprimant mieux la communion régnant entre les convives. On continue à représenter le Christ à gauche, toute trace de lit pouvant disparaître.

Dès le XIVe siècle, comme au monastère athonite de Chilandari, on constate des cas où le Seigneur est peint derrière et au milieu de la table, ce qui indique que l'antique ordonnance de la présidence n'est plus comprise.

LA TABLE

La table est garnie de couverts, de coupes, de plats, d'oignons, de pains disposés sur la nappe de façon très variée. Un ou deux poissons dans un grand plat en occupent régulièrement le centre. Il s'agit d'un symbole du Christ que l'on découvre déjà dans la multiplication des pains (cf. Mt 14, 17-19 et 15, 34-36 ; Mc 6, 38-41 ; Lc 9, 13-16 ; Jn 6, 9-11) et que l'art chrétien a très vite exploité dans un sens eucharistique. On peut le voir dans la crypte de Lucina de la catacombe romaine de Calixte, par exemple, où un panier de pain au milieu duquel figure un verre de vin est posé sur un grand poisson.

De plus, le poisson est l'acrostiche d'une confession de foi dans le Christ. Le mot grec désignant le poisson — 'IXΘŸC, *IChThUS* — *est en effet formé des initiales des mots suivants :* 'IHCOŸC, *Ièsous,* XPICTÒC, *Christos,* ΘEOŸ, *Theou,* YÍOC, *HUios,* CΩTHP, *Sôtèr,* ce qui signifie : Jésus-Christ, Fils de Dieu, Sauveur.

LE CHRIST

La tête entourée du nimbe crucifère et vêtu de ses vêtements habituels — la tunique rouge recouverte du manteau bleu —, Jésus préside le repas. La tradition byzantine le rehausse volontiers en le représentant à demi dressé ou assis sur sa couche plutôt que complètement allongé, et son matelas souvent rouge forme autour de lui comme une mandorle qui attire immédiatement les yeux du spectateur vers le Maître. Avec noblesse, il étend la main à la fois pour bénir l'Eucharistie et pour annoncer la trahison. Le rouleau qu'il tient de la main gauche le manifeste comme le Verbe de Dieu.

LES APÔTRES

Alignés de façon un peu monotone derrière le côté arrondi de la table, les apôtres pointent souvent l'index sur leur propre poitrine pour interroger : « Serait-ce moi ? » (Mt 26, 22 ; Mc 14, 19), et se regardent les uns les autres avec étonnement. Seuls sont réellement différenciés Pierre, Jean et Judas.

PIERRE

À droite, en face du Seigneur et à l'autre extrémité de la rangée des apôtres, Pierre est généralement installé comme Jésus sur un lit ou un siège haut, un rouleau à la main, ce qui montre son importance dans le collège apostolique. Il esquisse même de la main droite un geste de bénédiction en faisant signe à Jean pour qu'il demande à Jésus qui le livrera (Jn 13, 24).

Il arrive que le coryphée des apôtres soit représenté près de Jésus.

JEAN

Les plus anciens témoins — la mosaïque de Ravenne et le codex de Rossano — ne le montrent pas. Il est régulièrement représenté depuis le XIe siècle dans une attitude tendre et réservée qui veut rendre Jean 13, 23-25, et que la façon dont on dînait explique facilement : comme on était allongé et appuyé sur le coude gauche, celui qui était à droite du président du repas avait nécessairement la tête près de sa poitrine. La position assise rendrait impossible une telle proximité que bien des peintres se sont pourtant évertués à représenter.

Jean est normalement dépeint jeune et imberbe. On a pourtant occasionnellement la surprise de le voir en évangéliste, âgé et barbu. C'est le cas à Dionysiou (mont Athos).

JUDAS

À Saint-Apollinaire-le-Neuf, Judas est placé de façon significative à l'opposé de Jésus. À Monreale (Sicile), il s'approche du Christ par-devant la table en sigma, les mains couvertes du pan de son habit pour masquer sa haine d'un geste de révérence en recevant la bouchée que lui tend Jésus (cf. Jn 13, 26).

Généralement, et déjà sur le codex de Rossano, Judas est au milieu des apôtres. Il se penche au-dessus de la table et tend le bras vers un plat pour y plonger la main (Mt 26, 23 ; Mc 14, 20 ; Lc 22, 21). Parfois, c'est au poisson lui-même que Judas s'attaque, selon une tradition qui veut qu'il ait communié à l'Eucharistie de la Cène. Cette tradition, quoique véhiculée par la Liturgie, n'est pas rigoureusement fondée sur l'Écriture.

Le traître est souvent nimbé de la même façon que les autres apôtres auxquels il reste encore mêlé et dont il partage la vocation. Dans plusieurs cas, son échec fait cependant peindre ce nimbe en noir. Rarement, un démon est représenté derrière Judas (cf. Lc 22, 3 ; Jn 13, 27).

CONCLUSION

Dans la sobriété, l'iconographie de la Cène mystique du Seigneur place le croyant parmi les participants à ce banquet si particulier de « la nuit où il fut livré, ou plutôt se livra lui-même pour la vie du monde », comme dit la prière eucharistique de saint Jean Chrysostome. C'est pourquoi sa représentation est souvent placée au-dessus des portes saintes de l'iconostase.

L'amour « jusqu'à l'extrême » (Jn 13, 1) du Seigneur pour les siens s'y manifeste dans le drame dominé par la liberté de celui qui donne sa vie de lui-même.

Cet amour, qui est la vie et la personne même du Sauveur, remplit, pour ainsi dire, de sa substance propre l'Eucharistie qu'il demande de renouveler en mémoire de lui. Mais la présence de Judas rappelle aux fidèles l'avertissement de Paul : « Quiconque mange le pain ou boit la coupe du Seigneur indignement aura à répondre du corps et du sang du Seigneur... » (1 C 11, 27-29.)

« Se souvenant donc de cet ordre du Sauveur et de tout ce qui a été fait pour nous » (Liturgie de saint Jean Chrysostome), les disciples du Christ inaugurent perpétuellement un nouveau mode de vie : se laver les pieds les uns des autres (Jn 13, 14) dans une liberté que la descente du Saint-Esprit a rendue possible depuis la Pentecôte.

15.

XIV

LA CRUCIFIXION DU SEIGNEUR

En grec : ʻH CTAΎPΩCIϹ TOῩ KYPΊOY ʻHMΩN ʼIHCOῩ XPICTOῩ

Hè staurôsis tou Kuriou hèmôn Ièsou Christou

En slavon : РАСПЯ́ТИЕ ГО́СПОДА НА́ШЕГО ИЙСУ́СА ХРИСТА̀

Raspjatié Gospoda naŝego Iisusa Hrista.

ORIGINE, SOURCES, LITURGIE

Dès les débuts, l'image de la Croix caractérise le christianisme, dont elle constitue un thème central, au point même d'être l'icône type servant de référence pour le statut de l'ensemble de l'iconographie. On y contemple en effet le Seigneur transcendant qui transcende sa transcendance — selon une expression de Paul Evdokimov — et, au point ultime de son incarnation et du don qu'il fait de lui-même à Dieu son Père pour les hommes, celui qu'on ne peut circonscrire, qui se laisse percevoir, saisir et tuer selon sa nature humaine.

Le Fils de Dieu s'identifie au premier Adam et à tout être humain : « Voici l'homme. *Idou ho anthrôpos.* » (Jn 19, 5.) L'inverse est aussi vrai, comme le crie le centurion : « Cet homme était vraiment Fils de Dieu. » (Mt 27, 54.)

La Crucifixion expose la réalité du Dieu Amour dans son expression maximale en le montrant qui descend au plus profond de la condition humaine, en conformité avec la vérité historique attestée et selon la vérité théologique et spirituelle (Ph 2, 6-8).

L'ÉCRITURE

L'iconographie rend présente la crucifixion du Christ en épousant particulièrement le récit et l'esprit de l'Évangile de saint Jean (chap. XIX), « qui a vu et rendu témoignage, et dont le témoignage est vrai » (Jn 19, 35), selon une perspective où la Crucifixion constitue la glorification de Jésus : « Voici venue l'heure où le Fils de l'homme doit être glorifié. » (Jn 12, 23-32.)

Les autres récits de la crucifixion du Seigneur sont à lire en Matthieu 27, Marc 15, Luc 23.

LA LITURGIE

L'ÉGLISE célèbre surtout la crucifixion du Seigneur — que chaque liturgie eucharistique commémore de façon particulièrement intense — les jours suivants :

Le saint et grand Vendredi. Un calvaire est dressé au centre de l'église.

Le troisième dimanche du grand Carême. On expose le crucifix sur un pupitre fleuri pendant toute la semaine. À l'origine, cette fête devait commémorer le transfert d'Apamée (Syrie) à Constantinople d'une insigne relique de la vraie Croix, probablement sous Justin Ier ou Justin II (VIe s.). Le premier témoignage sur cette fête vient de Constantin Porphyrogénète (Xe s.) et le premier typicon à la mentionner ne remonte pas au-delà du XIe siècle.

Le 14 septembre, fête de l'Exaltation Universelle de la Précieuse et Vivifiante Croix. Nous l'étudions plus loin.

Le 1er août. Procession de la Croix, que l'on présente à la vénération des fidèles pendant les matines. Cette célébration comporte une bénédiction des eaux et fut instituée pour conjurer les maladies d'été à Constantinople.

Sont en outre consacrés à la crucifixion du Christ tous les mercredis et vendredis ordinaires ainsi que l'office quotidien de la neuvième heure (none), puisqu'il est récité à l'heure même où est mort Jésus.

LES HYMNES LITURGIQUES consistent en une longue méditation de l'Église. La Résurrection y est toujours évoquée.

« Pilate érigea trois croix sur le Golgotha, deux pour les larrons et une pour le Prince de la Vie ; ce que voyant, l'Hadès demande à ses serviteurs : "Qui m'a planté cet épieu dans le cœur ? Une lance de bois m'a transpercé et je suis déchiré ; quelle douleur pénètre mes entrailles et mon sein, et quelle peine traverse mon esprit ! Je suis contraint de rejeter Adam et ses fils, ceux que j'avais reçus de l'arbre défendu, car un nouvel arbre les conduit pour entrer à nouveau dans le paradis." » *(Ikos du troisième dimanche de Carême.)*

« En ce jour le roi de gloire, le Maître de l'univers sur la croix se laisse clouer, une lance transperce son côté ; il goûte le vinaigre et le fiel, celui en qui l'Église trouve sa douceur, il est couronné d'épines, celui qui couvre le ciel de nuées ; il est revêtu d'un manteau de dérision et des hommes il reçoit les soufflets, celui qui de sa main a façonné les mortels ; il est flagellé sur le dos, celui qui de nuages habille le ciel, il reçoit les coups et les crachats, les soufflets, les injures et il souffre tout cela pour sauver le monde de la mort, car il est mon Rédempteur et le Dieu compatissant. » *(Apostiche du vendredi après le troisième dimanche de Carême.)*

L'ICONOGRAPHIE

Dans les premiers temps, on représentait la Croix mais sans crucifié : le supplice était probablement encore trop présent pour être rendu de façon réaliste. On en trouve déjà une trace dans les ruines de Pompéi (79 ap. J.-C.).

Sur les ampoules de Monza, par exemple, au VIe siècle, des crucifixions sont représentées avec les larrons crucifiés. Mais c'est un buste glorieux du Christ qui somme la croix centrale.

Le sacrifice du Christ était évoqué surtout par l'Agneau, jusqu'au concile Quinisexte (692) qui l'interdit pour insister sur la réalité de l'Incarnation, alors que les docètes considéraient que les souffrances du Christ n'avaient qu'une valeur symbolique.

L'iconographie va se développer en intégrant des éléments très divers, tels que la recherche d'une harmonie avec la cour impériale, la bienséance, l'intention de représenter une synthèse et de proposer à l'adoration le Christ librement crucifié et tel qu'il vit aujourd'hui, c'est-à-dire ressuscité et glorieux, le refus du dolorisme ou de la complaisance morbide. La souffrance du Christ était nécessaire (Lc 24, 26 : « Ne fallait-il pas que le Christ endurât ces souffrances ? ») mais non recherchée pour elle-même. Par elle, Jésus a témoigné glorieusement de l'amour de Dieu et a assumé jusqu'au bout la vie humaine en vue de la diviniser aussi totalement.

La composition doit être sobre et rigoureusement structurée. On doit y utiliser la perspective inversée, la lumière propre dont les reflets ont pour but de souligner des attitudes et de faire percevoir, à travers la lumière, la présence de l'essence divine. Ces procédés incluent le spectateur dans la représentation.

On peut trouver des mises en scène théâtrales où émotion, mouvement, narration, détails de toutes sortes, multiplication des groupes conduisent à une décentration et à l'isolement de la composition sur elle-même.

JÉSUS EN CROIX

À partir du Vᵉ siècle, la croix perd son caractère infâmant et les crucifixions sont nombreuses. Le premier exemple connu figure sur les portes de Sainte-Sabine à Rome (Vᵉ s.).

Jusqu'au XIᵉ siècle, on trouve le Christ vivant, droit et les yeux ouverts. Cette représentation était moins destinée à éviter de montrer l'horreur du supplice qu'à attester la gloire du crucifié et sa victoire sur la mort.

On observe deux types de crucifixions. Dans le premier type, comme à Sainte-Sabine, on voit Jésus presque en orant, masquant la croix, les pieds au sol et non cloués, imberbe et juvénile, seulement couvert d'une sorte de caleçon sommaire nommé *subligaculum*. Le second type est plus fréquent et a été surtout développé en Syrie. Comme dans l'évangéliaire de Rabula ou sur une fresque de Sainte-Marie-Antique réalisée à Rome au VIIIᵉ siècle par des moines syriens, le Christ est vêtu d'une longue tunique sans manches, le *colobium*. Il est aussi nimbé, barbu, entouré d'éléments symboliques comme réalistes, portant parfois un diadème royal (basilique romaine des Saints-Côme-et-Damien, du VIIIᵉ s.). La tunique du Christ est parfois munie de manches et se nomme alors *tunica manicata*.

Dès le IXᵉ siècle, mais de façon généralisée à partir du XIᵉ siècle, Jésus est représenté les yeux fermés, la tête penchée sur l'épaule droite, le corps fléchi — mort. Ce changement est lié à l'évolution de la réflexion sur la mort du Seigneur, qui n'a été ni un accident ni le résultat d'un processus organique, mais bien un acte de volonté divine, de seigneurie.

LES ÉLÉMENTS DE LA COMPOSITION

Jésus est donc habituellement représenté ainsi :

La tête non couronnée, inclinée vers sa droite, entourée du nimbe crucifère contenant les habituelles lettres 'O ΩN *(ho ôn)* attestant sa divinité ;

Les paupières baissées, évoquant la mort ;

Ceint du *perizonium* — simple pièce de tissu nouée à la taille et dont la transparence (surtout à Chypre) indique la nudité du corps, lequel est légèrement incurvé suivant une ligne élégante suggérant l'apesanteur, les bras écartés et souvent comme soulevés ne semblant pas en supporter le poids ;

Un clou dans chaque main et pied ; ·

Les pieds posés sur un support qui remplace une cheville placée sur la croix comme une sorte de sellette : c'est le *suppedaneum*. Certains le peignent de biais, selon une tradition reprenant le portrait du serviteur souffrant d'Isaïe 53, 2 (« Sans beauté ni éclat, et sans aimable apparence »), pour prétendre que le Sauveur avait des jambes d'inégale longueur ;

La plaie au côté percé de la lance suggérée mais souvent absente, ou au contraire laissant jaillir du corps incorruptible du Seigneur, même à travers le colobium, l'eau et le sang chauds ; ils évoquent les sacrements majeurs du Baptême et de l'Eucharistie qui lient au corps du Christ. On voit parfois une personnification de l'Église s'approcher avec un calice pour recueillir l'eau et le sang.

« L'eau et le sang de ton côté ont rénové le monde, Seigneur ; avec l'eau tu laves nos péchés, avec ton sang tu signes le pardon, Jésus-Christ, en ton amour compatissant. » *(Vêpres du mardi soir, ton 3.)*

De part et d'autre de sa tête, ou au-dessus, sont écrites les lettres ĪC X̄C qui désignent Jésus-Christ. On leur ajoute souvent au bas de la croix le verbe NIKA, qui signifie en grec « est vainqueur ». Les Slaves ont l'habitude d'écrire НИКА.

Attaché au sommet de la croix, le *titulus,* représenté d'ordinaire comme une traverse supérieure, porte l'inscription apposée par Pilate : JÉSUS DE NAZARETH, LE ROI DES JUIFS (en grec : 'ΙΗϹΟΫϹ Ὁ ΝΑΖΟΡΑΪΟϹ Ὁ ΒΑϹΙΛΕΫϹ ΤΩΝ ΙΟΥΔΑΪΩΝ [INBI], *Ièsous ho Nazoraios ho Basileus tôn Ioudaiôn;* en slavon : ЇИСУСZ НАЗОРЕЙ ЧАРЬ ЇУДЕЙСКИЙ [ІНЧІ], *Iisus Nazorej Car' Iudejskij).*

On peut aussi trouver : LE ROI DE GLOIRE (en grec : 'Ο ΒΑϹΙΛΕΫϹ ΤΗ̄Ϲ ΔΌΞΗϹ, *Ho Basileus tês Doxês;* en slavon : ЧАРЬ СА́АВЬІ, *Car' Slavy).*

Ou encore la profession de foi du centurion : LE FILS DE DIEU (en grec : 'ΟΥΪΟϹ ΤΟΫ ΘΕΟΫ, *Ho huios tou Theou;* en slavon : СЬІНZ БО́ЖІЙ, *Syn Božij).*

LE GOLGOTHA

La croix est plantée dans le mont du Golgotha, indiqué par l'abrégé slavon Г̄Г̄, qui se lit ГОРА́ ГОЛГО́ФА *(Gora Golgopha).*

Une ancienne légende explique comment Golgotha veut dire « Lieu du Crâne » en rapportant qu'Adam y avait été enterré en prévision du sacrifice du Christ qui serait accompli en ce centre du monde. On trouve donc dans la colline une grotte ténébreuse. Elle contient un crâne — fréquemment entouré d'ossements — identifiable comme étant le crâne d'Adam grâce aux lettres slavonnes Г̄А̄ qui se lisent ГЛӒВА́ АДА́МОВА ou АДА́МА *(Glava Adamova, ou Adama).*

« Ô Christ, devenant nouvel Adam, de sa chute tu relevas le précédent. » *(Ode 4 du vendredi, ton 3.)*

Le crâne est quelquefois dressé, avec les yeux ouverts. Lavé par le sang qui coule des pieds de Jésus, il revit. Matthieu (27, 52) déclare qu'à la mort du Christ les sépulcres s'ouvrirent : celui d'Adam aussi !

L'inscription slavonne qui figure habituellement sur le suppedaneum, ou entre celui-ci et le Golgotha, annonce : М̃Л̃Р̃Б, soit : МЕ́СТО ЛО́БНОЕ РАЙ БЬІ́СТЬ *(Mesto Lobnoe Raj Byst').*

C'est le début d'un cathisme poétique *(sedalen)* des matines des mercredis et vendredis du ton 5 :

> « Le lieu du Crâne est devenu le Paradis ;
> À peine le bois de la Croix était-il planté
> Qu'aussitôt il a fait croître le raisin de la vie :
> Toi, Seigneur, pour notre joie. Gloire à toi ! »

Plus profondément enfoui, on peut encore découvrir au tréfonds du calvaire l'arbre du paradis : $\tilde{\Delta}\,\tilde{P}$, initiales de $\Delta\,P\,\acute{E}BO$ $P\acute{A}\breve{N}CKOE$ *(Drevo Rajskoe).*

La Croix réunit donc le ciel, la terre et les espaces souterrains (les « Enfers ») pour atteindre tout le cosmos depuis l'origine.

> « Ayant choisi de souffrir la mort sur une croix, tu l'as plantée au cœur de la création. » *(2ᵉ cathisme du vendredi, ton 3.)*

LE SOLEIL ET LA LUNE

La succession perpétuelle des astres du jour et de la nuit atteste la portée éternelle de l'événement.

L'Évangile ne parle que du soleil et reprend Amos 8, 9 : « En ce jour-là, je ferai coucher le soleil en plein midi, je couvrirai la terre de ténèbres en plein jour. » La lune anticipe les signes cosmiques liés au Jugement dernier : « Le soleil s'obscurcira, la lune perdra son éclat [...] et alors apparaîtra dans le ciel le signe du Fils de l'homme » (Mt 24, 29-30), qui apparaît effectivement déjà sur l'icône.

La lune est aussi une image de l'Ancien Testament qui doit, pour être compris, recevoir l'éclairage du soleil du Nouveau Testament, selon saint Augustin. Il arrive encore que l'imagerie païenne antique, qui attribuait à la lune un sens funéraire, soit exploitée ; paraissent alors des figures d'Hélios (le Soleil) en quadrige et d'Artémis (la Lune) en bige à deux vaches.

Des nuages obnubilent les astres (Lc 23, 44) qui, parfois, se couvrent eux-mêmes anthropomorphiquement le visage des mains ou détournent la tête pour provoquer l'éclipse.

On peut trouver en bas, mais rarement, Terra et Oceanus.

L'ÉGLISE ET LA SYNAGOGUE

Le voile déchiré du Temple (Mt 27, 51) marque la fin de la Synagogue et le début de l'Église, représentées comme deux femmes de toute petite taille s'avançant dans les airs. L'Église peut être peinte recueillant dans un calice le sang du Christ tandis que la Synagogue, les yeux bandés, s'en va. Elles peuvent être guidées par un ange, l'une vers le Christ, l'autre loin de lui.

LES ANGES

Ils participent fréquemment au deuil, les mains couvertes en signe de respect, prosternés avec crainte, saisis par l'événement.

JÉRUSALEM

Les remparts de Jérusalem forment le fond de la scène. Sur un simple crucifix ils figureraient sur le suppedaneum, évoquant pour certains, quand il est incliné suivant l'habitude russe, la Jérusalem d'en haut et la Jérusalem d'en bas.

LES LARRONS

Les deux larrons sont souvent représentés, mais crucifiés autrement que Jésus. Le bon larron (Lc 23, 39-43) est à droite du Christ et tourné vers lui ; à sa mort, un ange recueille son âme. L'autre larron est placé à la gauche du Christ et un démon se charge de son âme alors qu'il meurt en se détournant. L'Évangile de Nicodème — ou « Actes de Pilate » — les nomme respectivement ΔYCMᾶC *(Dysmas)* et ΓΕCΤΑC *(Gestas)*.

Le *suppedaneum* incliné à la façon russe évoque leur destin et devient balance de justice :

« Entre les deux larrons se trouvait ta Croix, balance de justice ; l'un fut entraîné aux Enfers par le poids du blasphème ; l'autre, allégé de ses fautes, fut mené vers la connaissance de Dieu. » *(Tropaire de la neuvième heure.)*

Ce dernier trait fait attribuer au bon larron l'adjectif « théologien ».

Dans ce contexte, signalons qu'il est courant de faire du suppedaneum un rappel du Jugement Dernier, quand le Fils de l'homme « placera les brebis à sa droite et les boucs à sa gauche » (Mt 25, 33).

LES SOLDATS

À droite du Christ, ou avec Jean s'il est le seul soldat, se tient le centurion ('O 'EKATÓNTAPXOC, *ho hekatontarchos;* Mt 27, 54 ; Mc 15, 39) chargé de surveiller la croix, puis le tombeau. La Tradition lui a donné le nom de Longin (ΛΟΓΓΙΝΟC), nom formé à partir du mot « lance » en grec : ΛΟΓΧΗ, *logchê,* et raconte qu'après avoir témoigné en disant : « Cet homme est vraiment Fils de Dieu », il serait mort martyr en compagnie de deux de ses soldats, convertis comme lui et nommés Léonce et Dometios. Leur fête a été fixée au 16 octobre.

Il arrive qu'on rencontre deux personnages au lieu d'un seul : le centurion prononçant sa confession de foi et le soldat à la lance, Longin, perçant le côté droit du Seigneur.

À gauche du Christ car il n'a pas eu la conversion du centurion ou du larron, il y a le porte-éponge qui s'appelle Stéphaton ou Ésope. Ce dernier nom provient de l'hysope ('H' ΎCCΩΠOC, *hè hussôpos)* dont une branche aurait symboliquement servi à élever l'éponge de vinaigre jusqu'à la bouche de Jésus, bien qu'en fait il est probable qu'il se soit agi d'un javelot ('O 'YCCÓC, *ho hussos).*

Parfois, on voit seulement de chaque côté de la croix la lance et le bâton portant l'éponge avec l'initiale slavonne К̃, de КОΠЇЁ *(kopié),* pour la lance, et Т̃, de ТРОСТь *(trost'),* pour l'éponge.

Devant la croix, un groupe de soldats se partagent les vêtements du Seigneur et jouent sa tunique.

Les soldats sont facilement représentés de profil. C'est, en principe mais pas toujours, l'indication d'un manque de contact direct, d'un début d'absence caractérisant les personnes n'ayant pas acquis la sainteté. Dans les scènes de groupe, ce peut être la narration simple.

LA VIERGE MARIE ET L'APÔTRE JEAN

Ils sont figés dans la douleur qu'exprime, à la mode antique, le geste de la main portée à la joue plus que l'expression du visage, sur lequel on peut pourtant lire une profonde douleur contenue avec noblesse. Marie a aussi souvent les bras croisés sur la poitrine.

La parole du Christ s'adressant à chacun d'eux les accompagne régulièrement : « Voici ton fils. Voici ta Mère. » (Jn 19, 26-27.) En grec : ΄ΙΔΟΥ ΄Ο ΥΙΟΟΣ ΟΟΥ. ΄ΙΔΟΥ ΄Η ΜΗΤΗΡ ΟΟΥ *(Idou ho huios sou. Idou hê mêtêr sou).*

La Mère de Dieu. La tête couverte du maphorion pourpre orné des trois étoiles évoquant sa virginité perpétuelle, elle se tient debout, souvent cambrée, au pied du calvaire, à la droite de son Fils. Elle est accompagnée d'une (Marie de Magdala) ou de deux ou trois femmes (Marie, mère de Jacques et de Joseph, la tante de Jésus, la femme de Clopas, la mère des fils de Zébédée, ou Salomé) formant un chœur douloureux peu individualisé.

Jean. L'apôtre dit le ''Théologien'' est jeune, imberbe, contrairement à ce qu'on voit sur les icônes où il est seul, rédigeant son Évangile ou l'Apocalypse à la fin de sa vie. Il se tient à la gauche du Christ, symétriquement à Marie, l'Évangile parfois à la main : « Celui qui a vu a rendu témoignage. » (Jn 19, 35.)

EN OUTRE

Les Russes, notamment, ont pris l'habitude de représenter tout en haut de la croix *l'image du Christ non faite de main d'homme.* Elle était d'ailleurs associée au culte de la Croix depuis des temps très anciens en Syrie-Palestine.

Ils représentent aussi régulièrement à ce même endroit *la Sainte Trinité,* à qui est offert le sacrifice du Sauveur comme, du reste, lui est adressée la prière eucharistique. C'est le Conseil divin réuni avant l'incarnation du Verbe pour mettre en œuvre le salut du monde.

Le fond des crucifixions est dans bien des cas constellé d'étoiles dorées. C'est une façon de souligner que le crucifié est le Pantocrator qui, au cœur même de sa Passion, garde toute sa liberté et continue à régir l'univers.

Une représentation des *quatre évangélistes* orne souvent chacune des extrémités d'un crucifix.

Dans une église, le crucifix domine toujours l'iconostase et se trouve aussi entre l'autel et le fond de l'abside. Sur les murs, la Crucifixion est peinte à l'ouest, au-dessus de la Dormition. Elle est aussi souvent disposée symétriquement à la Descente aux Enfers et peut encore se trouver au centre de toute une série de fresques de la Passion.

СОШЕСТВІЕ ВО АДЪ ГДА НАШЕГО ІИСА ХРТА

16.

XV

LA RÉSURRECTION DU CHRIST
ou
LA DESCENTE AUX ENFERS
(Pâques)

En grec	: 'H 'ANÁCTACIC TOῪ XPICTOY Hè anastasis tou Christou
ou	: 'H ΕἰC 'ÁΔΟΥ ΚÁΘΟΔΟC Hè eis Hadou kathodos
En slavon	: ВОСКРЕСЕ́НИЕ ХРИСТО́ВО Voskresenié Hristovo
ou	: СОШЕ́СТВИЕ ВО 'Á́Д Sošestvié vo Ad

ORIGINE, SOURCES, LITURGIE

Selon la conception antique du monde, on distinguait le Ciel, la Terre et les Enfers, lieux souterrains où gisaient les âmes des défunts et d'où Dieu était absent. Ce séjour des morts, selon l'expression même de Luc (16, 23), était nommé Schéol en hébreu, Hadès en grec, Enfers en latin.

La Descente aux Enfers du Christ marque le point ultime de son anéantissement, par lequel il accomplit toute la logique de l'incarnation. Par sa mort, Jésus rejoint tous ceux qui sont morts avant lui pour les faire participer à son œuvre en leur ouvrant les portes du Royaume de Dieu. Paradoxalement, c'est donc cette activité du Christ mort selon la chair qui constitue l'une des expressions privilégiées de sa Résurrection.

L'ÉCRITURE

Plusieurs passages du Nouveau Testament parlent du séjour du Seigneur Jésus aux « Enfers ». Ainsi :

« Dieu l'a ressuscité, le délivrant des affres de l'Hadès. » (Ac 2, 24, citant le psaume 15 [16], 8-11.)

« C'est en esprit que [le Christ] s'en alla même prêcher aux esprits en prison [...]. Même aux morts a été annoncée la Bonne Nouvelle. » (1 P 3, 19 et 4, 6.)

« Montant dans les hauteurs, il a emmené des captifs, il a donné des dons aux hommes. ''Il est monté'', qu'est-ce à dire, sinon qu'il est aussi descendu dans les régions inférieures de la terre ? Et celui qui est descendu, c'est le même qui est aussi monté au-dessus de tous les cieux, afin de remplir toutes choses. » (Ep 4, 9-10.)

Mentionnons encore : 1 Corinthiens 15, 20-22, 26, 55 ; Hébreux 2, 14-16 ; Apocalypse 1, 17-18.

Dans l'Ancien Testament, citons les prophéties d'Isaïe 25, 8 ; 26, 19 ; d'Osée 13, 14 et des psaumes 17 (18) ; 23 (24), 7-9 ; 29 (30), 4 ; 67 (68) ; 81 (82), 8 ; 106 (107), 10-20 notamment.

LA TRADITION

L'évangile apocryphe de Nicodème (ou « Actes de Pilate »), dans sa seconde partie qui remonte au Ve siècle, organise en un récit divers éléments tirés des textes scripturaires.

Le « Symbole des Apôtres », profession de foi baptismale de l'Église d'Occident, confesse quant à lui depuis l'an 370 que Jésus « est mort, a été enseveli, est descendu aux Enfers, et le troisième jour est ressuscité des morts ».

Les Pères de l'Église, et avec eux la Liturgie, développent ce thème de la Descente aux Enfers et inspirent son iconographie.

L'HYMNOGRAPHIE

« Au tombeau corporellement, aux Enfers avec ton âme, comme Dieu au paradis avec le larron tu sièges avec le Père et le Saint-Esprit, remplissant tout, ô Infini. » *(Tropaire des Heures pendant la semaine de Pâques et encensement de l'autel avant toute Liturgie eucharistique.)*

« Tu es descendu sur terre pour sauver Adam, et ne l'y trouvant pas, ô Maître, tu es allé le chercher jusque dans l'enfer. » *(Matines du Samedi saint, 1ʳᵉ stase.)*

« L'Hadès est roi de la race des hommes, mais pas pour toujours. Car déposé au tombeau, ô puissant Sauveur, tu as brisé les barrières de la mort de ta main maîtresse de la vie et, devenu le premier-né d'entre les morts, tu as proclamé une vraie délivrance à ceux qui y étaient endormis depuis le commencement des siècles. » *(Samedi saint, matines, ode 6.)*

« Pour remplir toutes choses de ta gloire, tu t'es attardé aux plus basses profondeurs de la terre ; ma nature subsistant en Adam ne t'a pas échappé et, mis au tombeau, tu me renouvelles, tout corrompu que je sois, ô ami des hommes. » *(Samedi saint, matines, ode 1.)*

« En ce jour, l'Hadès se lamente et s'écrie : Il eût mieux valu pour moi n'avoir pas accueilli celui qui est né de Marie, car en pénétrant dans mon domaine il a mis fin à mon pouvoir, il a brisé mes portes d'airain et il a ressuscité ceux que je détenais depuis si longtemps, car il est Dieu. Gloire, Seigneur, à ta Croix et à ta Résurrection. » *(Vêpres de la vigile pascale, stichère.)*

« Descendu par la croix au séjour des morts afin de parfaire en lui toutes choses, il a dissipé les angoisses de la mort. Ressuscité le troisième jour, il a frayé à toute chair la voie de la résurrection d'entre les morts, car il n'était pas possible que l'auteur de la vie fût soumis à la corruption. » *(Prière eucharistique de saint Basile.)*

« Témoins de ton immense miséricorde, ceux qui étaient retenus par les chaînes de l'Hadès se hâtaient d'un pas joyeux vers la lumière, ô Christ, applaudissant la Pâque éternelle. » *(Matines de Pâques, ode 5.)*

L'ICONOGRAPHIE

Bien que la Descente du Seigneur aux Enfers soit mentionnée dans les textes les plus anciens de l'Église et bien qu'elle ait été ensuite abondamment chantée dans les compositions liturgiques, son iconographie a mis plus de temps pour se fixer.

Son origine est à chercher dans les images de victoire de l'art impérial romain à la fin de l'Antiquité, mais alors que les images de triomphe des empereurs étaient encore en usage. On y observe un double mouvement : l'empereur foule aux pieds l'ennemi vaincu tout en libérant une ville ou une province ; il en tire à lui et en relève les personnifications agenouillées ou prostrées, les vaincus étant considérés par la propagande de l'époque comme libérés de la tyrannie de leurs propres chefs par l'empereur.

Ce schéma s'applique au Christ qui triomphe d'Hadès, souverain du royaume des morts, et libère les captifs en les tirant à lui.

Les représentations les plus anciennes connues semblent être une ornementation d'une colonne du ciborium de la basilique Saint-Marc à Venise, datée du Ve siècle, où l'on voit le Christ tendre la main à un patriarche, puis trois plaques syro-palestiniennes en nielle remontant au VIIe siècle, et enfin deux fresques du VIIIe siècle à l'église Sainte-Marie-Antique de Rome.

Après la crise iconoclaste, le type de la Descente aux Enfers se fixe pour se multiplier aux alentours de l'an 1000, avec un succès qui dure jusqu'à nos jours, puisque c'est cette composition qui supplante régulièrement celle des femmes au tombeau comme icône de Pâques. Elle correspond d'ailleurs parfaitement au tropaire tant de fois repris au cours de la nuit de la Résurrection :

« Le Christ est ressuscité des morts ;
par sa mort il a vaincu la mort,
et à ceux qui étaient au tombeau il a donné la vie. »

LES ÉLÉMENTS DE LA REPRÉSENTATION

LE CHRIST

Il se tient au centre de la composition, de face, grand et vigoureusement dressé, vêtu d'un vêtement blanc ou doré éblouissant. Derrière lui, une mandorle ovale ou une grande auréole ronde parfois remplie d'anges armés de lances — la garde du Roi — dispose ses courbes concentriques autour de lui et manifeste sa gloire de Pantocrator (souverain de l'univers), notamment quand l'ornent des étoiles.

Le Seigneur se trouve au point exact où, descendu au plus profond des Enfers en écrasant l'Hadès, il amorce sa remontée en arrachant à la mort Adam et tous les justes. Ces deux mouvements contraires, correspondant respectivement à la Descente aux Enfers et à la Résurrection, se trouvent donc réunis en une sorte d'immobilité dynamique qui revêt une grande puissance dramatique.

Jésus tient à la main le rouleau de la Bonne Nouvelle annoncée aux morts (1 P 4, 6) ou sa Croix, arme victorieuse par laquelle il a volontairement pénétré au séjour des morts pour le forcer à s'ouvrir. Quand il ne la tient pas, elle est souvent dressée au sommet de la mandorle ou de l'ensemble de la composition, entourée des autres instruments de la Passion et parfois portée par des anges.

LES ENFERS

C'est donc sous terre qu'est représenté d'après le schéma antique le séjour des morts, lieu nécessairement ténébreux, délimité par les échancrures de la croûte terrestre qui lui sert de voûte et de délimitation.

Hadès, roi des Enfers dont il est la personnification, est terrassé aux pieds du Seigneur et enchaîné au milieu des débris de sa puissance : clés, verrous, chaînes, ceps, etc. Lui et les démons qui, à l'occasion, l'entourent, sont aussi sombres que leur domaine, comme les divinités souterraines de Grèce et d'Égypte.

Piétinées par le Christ, les portes de l'Hadès — symbole de sa puissance (cf. Mt 16, 18) — sont arrachées de leurs gonds et fracassées.

Parfois et plus tardivement, on voit encore un monstre à l'énorme gueule béante d'où sortent les morts qu'il avait englouti. C'est le Léviathan du Livre de Job (3, 8 ; 7, 12 ; 40, 25-41, 26), monstre du chaos primitif dans la mythologie phénicienne, qui incarne la puissance du mal et « est roi sur tous les fils de l'orgueil » (Jb 41, 26).

ADAM ET ÈVE

Ces deux vieillards représentent l'ensemble de l'humanité délivrée par le Christ dans son mouvement ascendant : il les arrache à leur tombeau en les saisissant par le poignet ou la main et voici qu'ils paraissent à la lumière. Adam porte souvent un manteau vert ; ses cheveux et sa barbe sont blancs et longs. Ève, la mère de tous les vivants (Gn 3, 20), est complètement enveloppée de son maphorion toujours rouge vif, les mains respectueusement couvertes.

Ils peuvent être disposés de part et d'autre du Sauveur, Adam à sa droite et Ève à sa gauche, ou bien tous les deux du même côté, comme c'était le cas primitivement, ce qui déplace le Christ du centre de la composition et le présente légèrement tourné sur le côté.

LES JUSTES

On rencontre habituellement aussi, rangés derrière Adam du côté droit du Christ et derrière Ève du côté gauche :

Jean, le prophète, précurseur et baptiste du Seigneur, « le plus grand parmi les enfants des femmes » (Mt 11, 11). Muni du rouleau de sa prédication, il désigne le Sauveur, « heureux d'annoncer, même aux captifs des Enfers, l'apparition du Dieu fait chair » (Tropaire de la Décollation de Jean-Baptiste, le 29 août).

David et Salomon, les ancêtres du Christ, sont tournés vers lui, vêtus de leurs vêtements royaux. David est barbu et plus âgé que son fils Salomon, jeune et imberbe. La présence de David le distingue comme prophète et poète inspiré, auteur des psaumes où les allusions à la Résurrection du Christ sont nombreuses.

Abel, le jeune berger à la houlette, est le premier fils d'Ève à avoir souffert la mort violente (Gn 4, 2-11).

Moïse, la grande figure de la première Pâque et de la première Alliance, est représenté plutôt jeune, portant une courte barbe et le bonnet phrygien qui caractérise les prophètes, les Tables de la Loi dans les mains.

Samuel peut aussi être vu avec la corne de l'huile destinée à l'onction royale, ainsi que divers prophètes pas forcément différenciés.

Paul est souvent là, portant l'Évangile, accompagné ou pas d'autres apôtres. Cet anachronisme montre que le salut apporté par le Christ est aussi pour les générations à venir.

On remarque encore quelquefois des *âmes* anonymes au jeune visage, emmaillotées dans leur suaire blanc, qui peuvent émerger de leurs tombeaux.

Le bon larron, lui, pénètre au paradis, qu'on aperçoit parfois sur des compositions plus développées et dont il franchit la porte grâce à la croix qui convainc le chérubin de garde de le laisser passer.

Énoch et Élie, enfin, peuvent être aperçus en train de contempler la scène, installés symétriquement dans les rochers. Eux n'ont pas connu la mort puisqu'ils ont été enlevés (Gn 5, 24 ; He 11, 5 ; 2 R 2, 11).

LE COSMOS

« Maintenant tout est rempli de lumière : Ciel, Terre, Enfers ; que toute créature fête donc la Résurrection du Christ, en qui est notre force. » *(Matines de Pâques, ode 3.)*

Ce sont les rochers qui expriment la participation anticipée de « la création à la révélation des fils de Dieu [...], sa libération de la servitude de la corruption et son entrée dans la liberté de la gloire des enfants de Dieu » (Rm 8, 19-22).

Leurs formes extraordinaires et lumineuses introduisent une certaine manière de décor en perspective inversée qui évite l'isolement de la composition sur elle-même en l'ouvrant sur le spectateur.

*

Ainsi le croyant est-il invité à se laisser extraire lui aussi par le Christ, à la suite des justes, des ténèbres dont notre monde surabonde et enfin de la mort même.

17.

XVI

LES PORTEUSES D'AROMATES AU TOMBEAU
(Dimanche de Pâques)

En grec	: ΑΙ ΜΥΡΟΦΟΡΟΙ ΓΥΝΑΙΚΕC ΠΡΌC ΤΌΝ ΤΆΦΟΝ (ou : ΤΌ ΜΝΉΜΑ ; ou : ΤΟ ΜΝΗΜΕΙΟΝ) Hai murophoroi gunaikes pros ton taphon (ou : to mnèma ; ou : to mnèmeion)
En slavon	: ЖЕНЫ МИРОНОСИЦЫ у ГРОБА Ženy mironosicy u groba

ORIGINE, SOURCES, LITURGIE

L'image des myrophores au tombeau est la véritable icône de la Résurrection du Seigneur Jésus. Elle ne laisse pourtant rien voir ou imaginer du phénomène lui-même.

On assiste donc avec les femmes à leur découverte et, par là, on reçoit leur témoignage comme on le fait en écoutant la lecture de l'Évangile, notamment lorsque devant la porte fermée de l'église, dehors et dans la nuit, le célébrant, mué en ange, se fait le héraut de la nouvelle stupéfiante en proclamant l'Évangile qui commence les matines de Pâques (Mc 16, 1-8) : le tombeau est vide, le Christ est ressuscité.

L'ÉCRITURE

Les quatre Évangiles relatent les événements : Matthieu 28, 1-8 ; Marc 16, 1-8 ; Luc 24, 1-11 ; Jean 20, 1-13.

Le récit de Jean donne lieu à une iconographie particulière dont l'objet est la rencontre de Marie-Madeleine avec le Ressuscité, rencontre connue sous le nom latin de « *Noli me tangere* », en grec « ΜΉ ΜΟΥ ἍΠΤΟΥ » *(mè mou haptou)* et en slavon « НЕ ПРИКАСА́ЙСЯ МНЕ́ » *(ne prikasaïsja mne)* (Jn 20, 17).

LA LITURGIE

Les textes des hymnes pascaux et du dimanche des myrophores (le deuxième après Pâques) reprennent les Évangiles.

« C'est le Soleil antérieur au soleil, jadis descendu au tombeau, que, devançant l'aurore, les vierges aux aromates recherchaient à la pointe du jour ; et elles se disaient les unes aux autres : ''Chères compagnes, avec nos aromates, allons oindre le Corps vivifiant et enseveli, la Chair qui ressuscite Adam tombé, et qui est couchée dans son sépulcre ; allons, hâtons-nous, comme les Mages, et offrons en don nos aromates à Celui qui est enveloppé non de langes, mais d'un suaire ; et pleurons et crions : Seigneur, relève-toi, toi qui aux tombés accorde la résurrection.'' » *(Ikos des matines de Pâques.)*

« Pourquoi mêler vos pleurs à la myrrhe que vous portez ? La pierre est roulée, la tombe est vidée ; voyez comment la vie a triomphé de la mort, voyez des scellés le témoignage éclatant, voyez quel sommeil appesantit la garde des impies ; ce qui jadis était soumis à la mort est sauvé par la chair de notre Dieu, l'enfer exhale sa douleur ; mais dans l'allégresse courez vers les apôtres et dites-leur : ''Le Christ vainqueur de la mort et premier-né d'entre les morts vous précède en Galilée.'' » *(Doxasticon des petites vêpres des Myrophores.)*

« Avant l'aurore, le chœur des saintes femmes cherchait le Soleil antérieur au soleil que dans la tombe elles croyaient descendu ; mais un ange resplendissant leur apparut et leur dit : ''La lumière s'est levée illuminant ceux qui dormaient dans les ténèbres de la mort ; annoncez donc aux disciples lumineux que le deuil cède la place à la joie ; battez des mains et dans la foi de votre cœur exultez pour cette Pâque d'allégresse qui nous sauve : le Christ est ressuscité donnant au monde la grande miséricorde.'' » *(Lucernaire du lundi des Myrophores.)*

L'ICONOGRAPHIE

La plus ancienne image connue des myrophores au tombeau est celle du baptistère de Doura-Europos (230 env.), mais, curieusement, le tombeau est fermé et l'ange absent.

Puis vient un panneau du portail historié de Sainte-Sabine (Rome) qui remonte au Vᵉ siècle et a été fait à Constantinople. On y découvre les éléments majeurs et définitifs de ce nouveau type : l'ange, qui est ici debout, chose exceptionnelle, en conversation avec deux porteuses de parfums devant la construction funéraire qui contenait le corps du Christ.

Au VIᵉ siècle, on a d'importants monuments : la mosaïque de Saint-Apollinaire-le-Jeune (Ravenne), les ampoules de Monza et une miniature de l'évangéliaire de Rabula. L'ange, qui porte des vêtements blancs et se trouve assis sur une pierre, tient encore un long bâton de messager. Il s'adresse à deux femmes qui sont debout, munies d'une lampe portative et d'une fiole de parfums. Entre eux se dresse le sépulcre qui adopte anachroniquement la forme du *tugurium,* chapelle dressée au-dessus du tombeau à l'intérieur de la rotonde constantinienne de l'Anastasis à Jérusalem, et dont les ampoules de Monza doivent refléter l'aspect. Il devait être carré, encadré de grilles, surmonté d'un toit pyramidal reposant sur de fines colonnes torses et dominé par une croix.

Par la suite, la composition des myrophores au tombeau a conservé les éléments suivants.

LES ÉLÉMENTS DE LA COMPOSITION

LES MYROPHORES

Leur nombre varie suivant que l'iconographie suit l'Évangile de Matthieu (28, 1), qui en signale deux, ou bien Marc (16, 1), ainsi que Luc (24, 10), suivant lesquels elles étaient trois. Parfois la Vierge Marie figure à la tête du groupe, identifiable par les lettres M͡P Θ͡Y.

Elles sont toutes enveloppées par leur maphorion et portent des flacons à long bec et large panse. Leur main libre exprime leur interrogation et la conversation, entre elles et avec l'ange. Une main parfois portée à la joue signifie l'affliction. L'une ou l'autre peut être trouvée penchée sur la tombe vide : s'étant avancée à l'invitation de l'ange, elle voit et croit.

L'ANGE

Comme la liturgie, l'iconographie suit plus volontiers Matthieu (28, 2-3) ou Marc (16, 5), qui parlent d'un seul ange, alors que Luc (24, 4) et Jean (20, 12) en signalent deux.

Il est en général assis sur une pierre, souvent carrée ou ronde, ou bien sur une extrémité du sarcophage. Il est impressionnant, fréquemment plus grand que ses interlocutrices, les ailes magnifiquement déployées, le vêtement d'un blanc éclatant. Sa main gauche tient un long bâton de messager tandis qu'il désigne de la droite le tombeau vide.

LE TOMBEAU

Dans l'art byzantin, le tugurium du Saint-Sépulcre a cessé d'être représenté probablement à partir du moment où la Palestine fut occupée par les Arabes et soustraite à l'empire.

Habituellement, le tombeau est figuré comme une ouverture en hauteur, au sommet arrondi en demi-cercle, ménagée dans le flanc d'une colline ; ou bien comme un simple sarcophage dont le couvercle aurait glissé en travers ; ou encore, comme à Mileševa, comme une construction à l'ouverture grillagée rappelant l'édicule de Jérusalem.

Dans tous les cas, cette ouverture est sombre ou vraiment noire et s'identifie à l'intérieur du sépulcre de Jésus. De la même façon, le fond du sarcophage est toujours visible. On peut alors constater, comme les femmes, l'absence de tout corps et voir les linges mortuaires toujours là, éclatants de blancheur. On en voit souvent deux, selon Jean 20, 6-7, et il n'est pas rare que le linceul adopte encore la forme du corps qu'il contenait.

Curieusement, la pierre ronde sur laquelle l'ange est assis, selon Matthieu 28, 2, n'a souvent aucun rapport avec la représentation de l'orifice du tombeau, et on peut la trouver même à côté du couvercle d'un sarcophage. Elle peut rappeler le globe terrestre et contribuer à donner l'impression qu'on est témoin d'une sorte de théophanie. Mais bien souvent aussi, les iconographes se réfèrent à Marc 16, 5, et dissocient la pierre roulée du lieu où est assis l'ange.

LES SOLDATS

Sous le tombeau, deux ou trois soldats, ou davantage, sont assis ou couchés, morts de peur à la venue de l'ange du Seigneur, selon Matthieu 28, 4. Sur la miniature de Rabula, on voit trois rayons de feu s'échapper par la porte entrouverte de l'édicule funéraire pour frapper les trois gardes.

CONCLUSION

Fort peu de choses constituent les éléments de cette scène qui pourtant revêt une grande densité. La seule donnée dramatique est le dialogue entre l'ange et les femmes, et toute l'attention est attirée par les linges blancs sur le fond noir du sépulcre. Le décor de rochers disparaît même parfois, à moins qu'il ne rejoigne le mouvement des ailes de l'ange pour s'élever vers le ciel selon des lignes qui attirent le spectateur à l'intérieur de la composition, pour qu'il «voie et croie» à la suite des femmes, puis de Pierre et Jean (Jn 20, 8).

18. Ascension-Pentecôte. Dessin d'après une ampoule de Monza.

19. Ascension-Pentecôte. Dessin d'après une miniature de l'évangéliaire de Rabula.

XVII

LA PENTECÔTE-ASCENSION

ORIGINE, SOURCES, LITURGIE

L'ÉCRITURE

La célébration de ce que nous pourrions appeler la Pentecôte-Ascension dans les premiers siècles de l'Église du Christ est née de passages de l'Écriture tels que :

« Notre pâque, le Christ, a été immolée. » (1 C 5, 7.)

« Exalté par la droite de Dieu, [Jésus] a reçu du Père l'Esprit Saint, objet de la promesse, et l'a répandu. [...] Dieu l'a fait Seigneur et Christ, ce Jésus que vous, vous avez crucifié. » (Ac 2, 33, 36.)

« Lui, de condition divine, [...] s'humilia [...] jusqu'à la mort sur une croix. Aussi Dieu l'a-t-il exalté [...] pour que toute langue proclame de Jésus-Christ qu'il est Seigneur, à la gloire de Dieu le Père. » (Ph 2, 6-11.)

« Il n'y avait pas encore d'Esprit parce que Jésus n'avait pas encore été glorifié. » (Jn 7, 39.)

« Il vaut mieux pour vous que je parte ; car si je ne pars pas, le Paraclet ne viendra pas à vous ; mais si je pars, je vous l'enverrai. » (Jn 16, 7.)

LA PRATIQUE DES PREMIERS SIÈCLES

Primitivement, la communauté chrétienne ne se rassemblait que le premier jour de chaque semaine — ou huitième jour — pour célébrer le Seigneur Jésus ressuscité.

Puis, dans l'esprit des textes scripturaires cités ci-dessus, on a institué des célébrations annuelles commençant, du vendredi au samedi, par un jeûne rigoureux commémorant la Pâque, c'est-à-dire la Passion et la mort du Christ. Après une nuit de prières, on célébrait au matin du dimanche la Liturgie de la Résurrection, inaugurant la *pentèkostè*. Cette période constituait une seule fête de cinquante jours, établie parallèlement au calendrier juif et comportant donc une semaine de semaines plus un jour placé comme un sceau, soit cinquante jours.

La Pentecôte juive, célébrée cinquante jours après la Pâque, est d'abord une action de grâces pour les prémices. Surtout depuis la perte du Temple en 70, elle est aussi devenue la fête du Don de la Tora (la Loi) à Moïse sur le mont Sinaï, événement qui a constitué les Hébreux en peuple.

La Pentecôte chrétienne calque la fête juive : elle est en effet une action de grâces pour les prémices de l'humanité assise aux cieux en la personne de Jésus (cf. Ep 2, 6) et une fête du don du Saint-Esprit envoyé par le Christ, constituant ainsi le nouveau peuple de Dieu. Le Christ est célébré comme le nouveau Moïse (Jn 1, 17) ; exalté dans la gloire de l'Ascension, il est mis en possession de l'Esprit qu'il répand sur les personnes qui deviennent son peuple, l'Église.

La cinquantaine chrétienne célébrait donc dans une unique joie pascale la Résurrection du Seigneur, son exaltation glorieuse, le don du Saint-Esprit aux hommes et même la seconde venue du Christ à la fin des temps.

Le dernier jour de ce « grand dimanche » scellait la seule solennité de l'année liturgique de l'époque en commémorant dans une très forte synthèse l'exaltation du Seigneur Jésus donatrice de l'Esprit.

La pèlerine Égérie (Éthérie) raconte dans son journal de voyage ce qui se passait à Jérusalem dans les années 380. Les lieux parcourus ce jour-là par les fidèles sont éloquents : la basilique de la Résurrection d'abord pour la vigile, puis, après l'oblation au Martyrium, tous arrivent à Sion pour la troisième heure (cf. Ac 2, 1-12) dans l'église construite au lieu du cénacle ; le mont des Oliviers à la sixième heure et de nouveau l'Anastasis et Sion.

Progressivement, selon les lois de l'évolution liturgique qui conduisent à ce qu'une fête, et notamment sa clôture, précise son thème et en conséquence exclut les éléments non sélectionnés qui deviennent à leur tour des fêtes s'ils sont assez importants, la Pentecôte s'est émiettée en fêtes de la Résurrection, puis de l'Ascension le quarantième jour, et enfin de la Descente du Saint-Esprit le cinquantième. Ce processus, commencé à Antioche, était achevé partout au Vᵉ siècle, sauf en Égypte. Peut-être les luttes théologiques sur la Trinité et la divinité du Saint-Esprit ont-elles joué un rôle dans le développement du cinquantième jour, d'ailleurs devenu, dans les Églises byzantines, la fête de la Sainte-Trinité, la Descente du Saint-Esprit sur les apôtres étant plutôt commémorée le lendemain, lundi de Pentecôte.

L'ICONOGRAPHIE

Une iconographie particulière, qui reflète la pratique des premiers siècles, est surtout connue par les deux exemples suivants. Il s'agit d'abord de l'une des ampoules conservées à la collégiale Saint-Jean de Monza (Italie). Ces ampoules étaient des sortes de fioles destinées à ramener de l'huile des Lieux Saints de Palestine. Il y a d'autre part une miniature de l'évangéliaire syriaque de Rabula. Les deux images représentent une « Ascension-Pentecôte », c'est-à-dire une Pentecôte intégrée dans une Ascension, ce qui exprime très fortement le rapport de l'exaltation du Seigneur Jésus avec le don de l'Esprit saint. Les deux choses datent du VIᵉ siècle, donc d'une époque où la distinction des fêtes était bien établie. Il faut croire que l'adaptation artistique à une nouvelle situation rencontre des problèmes de création ardus.
Voici une description de ces images.

L'AMPOULE DE MONZA

Dans le ciel, le Christ siège sur un trône. Il est imberbe, la tête entourée d'un nimbe crucifère. Sa main gauche tient l'Évangile marqué d'une croix tandis qu'il bénit de la droite. Une mandorle l'entoure, portée à bout de bras par quatre anges nimbés.
La moitié inférieure de la composition est occupée par les douze apôtres placés sur deux rangs superposés. Les gestes de certains indiquent l'animation. Au centre de la rangée inférieure, la

Mère de Dieu, en orante et nimbée, atteste l'incarnation du Fils de Dieu.

Au-dessus d'elle et entre les apôtres du rang supérieur, une colombe descend, lâchée par une main ouverte entourée de rayons et sortant de dessous l'auréole du Christ : la main de Dieu le Père.

L'ÉVANGÉLIAIRE DE RABULA

Dans le ciel, le Christ en vêtements resplendissants est debout devant une mandorle bleu foncé bordée de blanc que tiennent deux anges. Il montre un cartel et dresse l'index de la main droite comme celui qui enseigne. Deux anges lui tendent des couronnes, tels des Victoires. Cette apothéose se fait sur le char glorieux de la vision d'Ézéchiel, avec les quatre Vivants et leurs ailes flamboyantes parsemées d'yeux (Ez 1, 5-28). Dans les angles, le soleil et la lune placent la scène hors du temps.

La moitié inférieure de la composition est peinte sur un fond de collines vertes : le mont des Oliviers. Au centre, la Mère de Dieu en orante et nimbée. De chaque côté d'elle, un ange vêtu de blanc, nimbé et portant le bâton du messager. Les apôtres sont répartis en deux groupes de six, tassés de chaque côté. L'un des anges s'adresse au groupe de gauche en indiquant le Christ qui s'élève. On reconnaît à la tête de ce groupe saint Paul muni d'un livre rouge. L'autre ange reprend le groupe de droite à la tête duquel saint Pierre se présente, portant sa croix et son trousseau des clés du royaume des cieux.

Sortant de dessous le char et d'entre les Vivants, une main ouverte lâche « comme des langues de feu », serrant ainsi de plus près que la colombe de Monza le récit des Actes des Apôtres (2, 3) et permettant aussi de mieux imaginer le don personnel fait à tous (Ac 2, 4).

*

Quoique délaissée, cette iconographie ancienne a dû être assez répandue, comme le montre la nature même des ampoules de Monza et Bobbio, qui étaient fabriquées par séries et en nombre. On pense qu'elle reprend la représentation monumentale d'une Ascension-Pentecôte qui devait orner l'abside de l'église construite à l'emplacement du cénacle à Jérusalem.

L'Ascension-Pentecôte offre l'intérêt de témoigner de l'unité profonde de toute cette période très dense de la Pentecôte, unité que différents éléments de la Tradition byzantine actuelle perpétuent encore.

20. Emmanuel endormi. Dessin d'après un épigonation brodé du monastère Saint-Jean-le-Théologien de Patmos.

21. Dessin de l'œil qui ne dort pas, d'après une icône russe du début du XVIe siècle (musée de Recklinghausen).

XVIII

LA MI-PENTECÔTE
(Mercredi de la 4e semaine de Pâques)

En grec	: 'Η ΜΕΣΟΠΕΝΤΗΚΟΣΤΉ Hè mesopentèkostè
En slavon	: ПРЕПОЛОВЕ́НИЕ ПЯ́ТИДЕСѦ́ТНИЦЫ Prepolovenié pjatidesjatnicy

ORIGINE, SOURCES, LITURGIE

La mi-Pentecôte est célébrée le mercredi de la quatrième semaine de Pâques, dite du Paralytique, et dure huit jours, située entre la Résurrection et l'achèvement (sur l'Ascension, le don du Saint-Esprit et la révélatoin de la Sainte Trinité) de la cinquantaine pascale.

Une correspondance a été établie entre cette date et le « milieu de la fête » de Jean 7, 14, qui n'était d'ailleurs pas la Pentecôte juive mais la fête des Tentes, toutes deux ayant un aspect agricole : la moisson ou la verdure des cabanes.

Le dernier jour de la fête, Jésus annonçait « l'Esprit que devaient recevoir ceux qui croiraient en lui », après en avoir parlé comme de l'eau vive (et l'Évangile de la Samaritaine est lu le dimanche tombant dans la mi-Pentecôte).

Le plus ancien témoignage de cette fête est une homélie d'Amphiloque d'Iconium (fin du IVe s.) : « Située au milieu, entre la Résurrection et la Pentecôte, elle rappelle la Résurrection, montre du doigt la Pentecôte et annonce l'Ascension... » (*Patrologie grecque,* p. 39, c. 123.) L'Ascension existait déjà à l'époque, mais la fête suppose la conception ancienne du *laetissimum spatium,* le « grand dimanche » de cinquante jours.

L'ÉCRITURE

L'Église propose pour la mi-Pentecôte les textes scripturaires suivants :

Aux vêpres

Michée 4, 2 ; 6, 2 ; 5, 3 : « Le Seigneur fera paître son troupeau dans la paix. »
Isaïe 55, 1-13 : « Vous puiserez de l'eau avec joie aux sources du salut. »
Proverbes 9, 1-11 : « La Sagesse a bâti sa maison. »

À la Liturgie

Actes 14, 6-18 (Paul et Barnabé à Iconium) ; Jean 7, 14-30.
L'Évangile peut être mis en parallèle avec l'épisode de Jésus au Temple à l'âge de douze ans, que rapporte saint Luc :

Luc 2, 41-52	*Jean 7, 14-30*
Quand il eut douze ans, ils montèrent à Jérusalem pour la fête de la Pâque. Ils se mirent à le chercher parmi leurs parents et connaissances... Au bout de trois jours, ils le trouvèrent dans le Temple, assis au milieu des docteurs, les écoutant et les interrogeant, et tous ceux qui l'entendaient étaient stupéfaits de son intelligence et de ses réponses... Je me dois aux affaires de mon Père... Il leur était soumis.	On était déjà au milieu de la fête [des Tentes] quand il monta au Temple et se mit à enseigner. Les Juifs, étonnés, disaient : Comment connaît-il ses lettres [les Écritures] sans avoir étudié ? Les autorités auraient reconnu qu'il est le Christ... Je ne suis pas venu de moi-même, mais il m'envoie vraiment, celui qui m'a envoyé. Vous, vous ne le connaissez pas, moi je le connais parce que je viens d'auprès de lui... Ils voulurent alors l'arrêter...

LA LITURGIE

Méditant les Écritures, l'Église discerne en Jésus la Sagesse créatrice de Dieu le Père.

« Au milieu de la fête, Sagesse de Dieu, tu entras dans le Temple pour enseigner, reprenant les scribes et les pharisiens, et leur criant avec pleine autorité : "Celui qui a soif, qu'il vienne à moi et boive l'eau de la vie, et jamais plus il n'aura soif." [...]. » *(Apostiche des vêpres.)*

« Au milieu de la fête, Sauveur, alors que tu enseignais, les scribes se demandaient : "D'où connaît-il les Écritures, n'ayant pas étudié ?" Car eux-mêmes ignoraient que tu es la Sagesse créatrice du monde. Seigneur, gloire à toi. » *(Doxasticon des apostiches des vêpres.)*

« Au milieu de la fête voici qu'il enseigne au milieu des docteurs le Christ, le Messie. » *(Synaxaire.)*

« Au milieu de la fête, la Sagesse de Dieu vint dans le Temple ainsi qu'il est écrit, et se mit à enseigner qu'il est lui-même le Messie, le Christ, qui donne le salut. » *(Ode 8.)*

L'ICONOGRAPHIE

La mi-Pentecôte célèbre donc la Sagesse divine personnifiée dans le Logos, deuxième personne de la Sainte Trinité, considéré avant son incarnation. Le Verbe par lequel Dieu a tout créé avec sagesse enseigne les hommes et leur propose le salut par le don du Saint-Esprit.

Le Seigneur apparaît sous les traits du Christ « Emmanuel », dont l'iconographie provient de documents paléochrétiens (San Vitale à Ravenne, Hosios David à Salonique, par exemple) dont la signification s'est précisée par la suite, puisque à l'origine une vieillesse vigoureuse mais chenue pouvait exprimer l'éternité aussi bien qu'une chevelure et une barbe abondantes et noires, comme enfin la jeunesse dont il est ici question.

LE CHRIST-EMMANUEL

Il est représenté comme un adolescent (ce qui le relie, pour la mi-Pentecôte, à sa fugue dans le Temple à l'âge de douze ans) imberbe et serein, ce qui exprime sa jeunesse éternelle de Fils de Dieu engendré hors du temps. Mais les traits de son visage ne sont pas ceux d'un petit enfant : son regard est plein de sagesse et de profondeur, son front large et puissant annonce sa pensée, son cou a comme l'enflure d'un goitre, empli par le souffle du Saint-Esprit. Le nimbe crucifère habituel orne sa tête et révèle son identité. Il porte des vêtements que l'artiste fait ruisseler de la lumière de sa gloire divine et siège sur un trône imposant.

D'une main, il fait un geste oratoire qui signifie qu'il est en train de parler (en tant que Logos), et de l'autre, il tient un rouleau désignant le contenu de son enseignement ou la connaissance qu'il possède sur tout.

Le Verbe s'adresse à six docteurs juifs, hommes de l'Ancienne Alliance, en attendant la plénitude des douze à la Pentecôte. Alors que dans les représentations de Jésus au Temple à douze ans on trouve un nombre variable et quelconque de docteurs ainsi que les parents de Jésus qui arrivent — Marie montrant son fils à Joseph —, l'iconographie de la mi-Pentecôte ne représente que ces six docteurs, assis et conversant, disposés symétriquement en demi-cercle de chaque côté du Christ.

Au fond, les remparts de Jérusalem et la basilique du Saint-Sépulcre et de l'Anastasis remplacent le temple de Salomon dans la localisation de la scène et évoquent le mystère pascal.

NOTE SUR LE CHRIST-EMMANUEL

Outre l'iconographie de la mi-Pentecôte et celle, parfois à peine distincte, de l'Enfant Jésus dans le Temple au milieu des docteurs à l'âge de douze ans (en grec : ΊΗϹΟΫϹ ΈΝ ΜΕϹΩ ΓΡΑΜΜΑΤΕΩΝ, *Ièsous en mesô grammateôn;* en slavon : ЙИСУС БЕСЕ̅ДУЕТ С КНИ̅ЖНИКАМИ, *Iisus beseduet s knižnikami,* ou : ПРОПОВЕДЬ ДВЕНАДСАТИЛЕ́ТНАГО ХРИСТА́, *Propoved dvenadsatiletnago Hrista,* ou : О́ТРОК ХРИСТО́С ВО ХРА́МЕ, *Otrok Hristos vo hrame),* ce type iconographique est utilisé de plusieurs autres manières :

Isolément, par exemple pour décorer la calotte d'une coupole secondaire d'une église, sur un fond bleu étoilé (Venise), comme d'autres types iconographiques mystiques du Christ tels que l'Ancien des Jours, l'Ange du Grand Conseil, le Grand Prêtre, le Tout-Puissant ;

Porté dans une auréole sur le sein de la Mère de Dieu du type de la *Platytera tôn ouranôn* (le « Signe », 27 novembre), ou par l'assemblée des anges (la « Syntaxe de l'archange Michel », 8 novembre) ;

En buste, sortant du calice, ou couché dans le *discos* ou patène selon le rite de l'immolation sacramentelle, pour affirmer la foi eucharistique aux abords de l'autel, spécialement dans l'abside centrale, entre les figures des évêques ;

Dans la théophanie de la vision d'Ézéchiel ;

Comme illustration des strophes 14 et 15 de l'hymne acathiste ;

Dans la vision de saint Pierre d'Alexandrie ;

Parfois en déisis.

Enfin, citons la composition de

L'EMMANUEL ENDORMI

En grec : ᾿ΙΗϹΟΫϹ ΧΡΙϹΤΌϹ ῾Ο ᾿ΑΝΑΠΕϹΩΝ *(Ièsous Christos ho anapesôn).* Les Slaves parlent plutôt de « l'œil qui ne dort pas » : НЕΔРЕМА́НЬНОЕ О́КО *(nedreman'noe oko).*

C'est une image-commentaire tardive puisque le plus ancien monument attesté date de 1349 (à Lesnovo, Macédoine). Depuis cette époque elle a connu un grand succès. Primitivement placée à la porte occidentale des églises, cette composition a été rapidement attirée aux abords immédiats du sanctuaire. On la trouve notamment au diaconicon.

On voit le Christ-Emmanuel allongé sur un matelas et dormant, mais les yeux ouverts.

Autour de lui il y a régulièrement, mais pas toujours, la Vierge Marie, un ange et même un lion.

Le décor est composé de plantes, d'arbres et d'oiseaux.

Nous voilà donc transportés au paradis, avant l'incarnation du Verbe éternel de Dieu. Mais cette incarnation est déjà dans la pensée de la Sagesse par la présence de la Mère de Dieu et aussi par celle de l'archange Michel qui s'approche en lui présentant de ses mains respectueusement couvertes les instruments de la Passion salvatrice.

Mais le Christ a les yeux ouverts alors qu'il dort, ce dont le lion fournit l'explication. Il nous invite à nous reporter à Genèse 49, 9-10, où Jacob, qui a réuni ses fils avant de mourir, prédit à Juda son destin : « Juda est un jeune lion ; [...] il s'est accroupi, il s'est couché comme un lion, comme une lionne : qui oserait le faire lever ? Le sceptre ne s'éloignera pas de Juda [...] jusqu'à la venue de celui à qui il appartient, à qui obéiront les peuples. » Cette prophétie convient parfaitement au Christ. L'un des vieillards de l'Apocalypse ne s'écrie-t-il pas : « Il a remporté la victoire, le lion de la tribu de Juda, le rejeton de David » ? (Ap 5, 5.)

Or, et ceci s'applique à la première partie de la prédiction de Jacob, le lion était supposé, selon les bestiaires anciens, dormir les yeux ouverts. On en tire donc facilement un symbolisme christologique : le Christ dort en tant qu'homme mais veille en tant que Dieu. Cela rejoint le psaume 120, 4, qu'on récite aux vêpres : « Point ne dort ni ne sommeille le gardien d'Israël. »

L'ensemble de la prophétie est appliqué au mystère pascal qu'annonçait l'ange. Une paraphrase explicative en est d'ailleurs donnée par les matines du Samedi saint :

« Comme un lion, Sauveur, tu t'es endormi dans ta chair et, comme un lionceau, tu t'es ressuscité ayant déposé le fardeau de la chair. » *(Stance 1, éloge 38.)*

« Venez, contemplons notre vie couchée dans le tombeau pour vivifier ceux qui gisent dans les sépulcres ; venez, crions en ce jour, comme le prophète, au Fils de Juda, notre Dieu, qui sommeille : Couche-toi et repose-toi comme un lion ; ô Roi, qui te réveillera ? Mais ressuscite de toi-même, toi qui, pour nous, t'es livré toi-même à la mort. Seigneur, gloire à toi ! » *(Laudes, stichère 3.)*

Une inscription accompagne fréquemment cette représentation, raccourci de Genèse 49, 9, et extrait de l'hymne ci-dessus : « En te reposant tu t'es couché comme un lion : qui te réveillera ? » (En grec : 'ΑΝΑΠΤΕϹΩΝ ΚΕΚΟΙΜΗϹΑΙ ΩϹ ΛΕΩΝ ΤΙϹ ΕΓΕΡΕΙ ϹΕ *[Anapesôn kekoimêsai ôs leôn ; tis egerei se ?]* ; en slavon : ВОЗЛЕГⱾ ОУ̑СНУ̑ЛⱾ ЀСИ́ ГКW ЛЀВⱾ, КТО̀ ВОЗⱯВИ́ГНЕТⱾ ТА *[Vozleg ousnul esi jako lev, kto vozdvignet tja ?])*

XIX

ВОЗНЕСЕНIЕ ІС ХС ГДА НШЕГО ІСА ХРТА

22.

L'ASCENSION DE NOTRE-SEIGNEUR
JÉSUS-CHRIST
(Quarantième jour après Pâques)

En grec : Ἡ ᾽ΑΝΑΛΗΨΙϹ ΤΟῨ ΚΥΡΙΟΥ ῾ΗΜΩΝ
᾽ΙΗϹΟῨ ΧΡΙϹΤΟῨ
Hè analèpsis tou Kuriou hèmôn Ièsou Christou

En slavon : ВОЗНЕСЕ́НИЕ ГО́СПОДА НА́ШЕГО И̇ИСУ́СА
ХРИСТА́
Voznesenié Gospoda našego Iisusa Hrista

ORIGINE, SOURCES, LITURGIE

L'ÉCRITURE

La spécialisation de chacune des fêtes de la cinquantaine pascale a été guidée par les éléments narratifs rapportés dans le Nouveau Testament. Voici ce qui concerne l'événement de l'Ascension du Christ :

« Voici que je vais envoyer sur vous ce que mon Père a promis. Vous donc, demeurez dans la ville jusqu'à ce que vous soyez revêtus de la force d'en-haut. Puis il les emmena vers Béthanie et, levant les mains, il les bénit. Or, tandis qu'il les bénissait, il se sépara d'eux et fut emporté au ciel. Pour eux, s'étant prosternés devant lui, ils revinrent à Jérusalem en grande joie. » (Lc 24, 49-52.)

« Le Seigneur Jésus, après leur avoir parlé, fut enlevé au ciel et s'assit à la droite de Dieu. » (Mc 16, 19.)

« Tout pouvoir m'a été donné au ciel et sur la terre [...]. Et moi, je suis avec vous pour toujours, jusqu'à la fin du monde. » (Mt 28, 18 ; 20b.)

« J'ai parlé de tout ce que Jésus a fait ou enseigné [...] jusqu'au jour où [...] il fut enlevé au ciel [...]. » (Ac 1, 2 ; 6-11.)

LA LITURGIE

Les offices sont dominés par l'idée que nous célébrons l'exaltation triomphale du Seigneur Jésus. Celui-ci monte au ciel asseoir l'humanité qu'il partage avec nous sur le trône qu'il n'a jamais quitté en tant que Dieu. C'est là qu'il introduira tous les membres de son corps lors de sa seconde venue.

« La nature d'Adam qui était tombée jusque dans les profondeurs de la terre et que tu avais renouvelée en toi-même, tu l'as élevée en ce jour au-dessus de toute principauté et de toute puissance ; car l'ayant aimée, en ayant eu pitié, tu te l'es unie ; te l'étant unie, tu as souffert avec elle ; ayant souffert quoique impassible, tu l'as glorifiée avec toi. Mais les incorporels : Quel est, disaient-ils, cet homme magnifique ? Mais ce n'est pas seulement un homme, il est Dieu et homme, ce prodige qui réunit les deux apparences. C'est pourquoi des anges, splendides en leurs tuniques, volant autour des apôtres, leur criaient : Hommes de Galilée, celui qui vous a quittés, Jésus l'homme Dieu, reviendra Dieu homme, comme juge des vivants et des morts, pour donner aux fidèles la rémission de leurs péchés et sa grande pitié. » *(Idiomèle de la Liturgie.)*

« [...] Tu es venu avec tes disciples sur le mont des Oliviers et tu avais avec toi celle qui te mit au monde, Créateur et artisan de toutes choses ; il convenait en effet que celle qui, en sa qualité de Mère, avait souffert plus que quiconque lors de ta Passion, jouît d'une joie dépassant toute joie dans la gloire de ta chair. En en prenant nous aussi notre part, Seigneur, puissions-nous, par ton Ascension aux cieux, glorifier la grande pitié qui nous a été faite. » *(Idiomèle de la liturgie.)*

« Étant descendu du haut des cieux sur terre, ayant, comme Dieu, relevé la race d'Adam qui gisait humiliée dans la prison de l'enfer, et, par ton Ascension, ô Christ, l'ayant fait remonter au ciel, tu l'as fait siéger avec toi sur le trône de ton Père, car tu es compatissant et ami des hommes. » *(Cathisme suivant le Polyeleos.)*

« Tu fus enlevé en gloire, Christ notre Dieu, réjouissant tes disciples par la promesse de l'Esprit Saint, et les affermissant par ta bénédiction, car tu es le Fils de Dieu, le Rédempteur du monde. » *(Tropaire.)*

« Ayant accompli le plan providentiel sur nous, et uni la créature terrestre aux habitants du ciel, tu fus enlevé en gloire, Christ notre Dieu,
sans nullement t'éloigner, mais demeurant inséparable et criant à ceux
qui t'aiment : Je suis avec vous et personne ne peut rien contre vous. »
(Kondakion.)

L'ICONOGRAPHIE

L'Ascension a d'abord connu une iconographie analogue au
thème de Moïse gravissant le mont Sinaï pour y recevoir la Loi de
la main de Dieu. On voit le Christ sorti du tombeau et hissé au ciel
par la main du Père qui sort d'un nuage, comme sur le volet dit
« de l'Ascension » d'un diptyque en ivoire daté du Vᵉ siècle et
conservé au Bayerisches National Museum de Munich, à moins
qu'il ne soit enlevé par des anges, comme sur la porte historiée de
la basilique romaine de Sainte-Sabine, remontant aussi au
Vᵉ siècle. Ce deuxième exemple surtout nous renvoie aux ascen-
sions avec ou sans char d'un dieu ou d'un héros, comme des allé-
gories de la lune ou du soleil, ou encore d'un empereur défunt
porté en apothéose vers les cieux. L'ascension suit alors une ligne
oblique, schéma qui a été conservé pour l'enlèvement d'Élie.

Cette représentation, condamnée par le pape de Rome Grégoire Iᵉʳ car le Christ s'est élevé sans aide aucune, a complètement
disparu depuis le XIᵉ siècle. Elle a été totalement supplantée par
l'image tout aussi ancienne que nous connaissons bien — où le
Christ Seigneur se présente de face et non pas en oblique, dans
une attitude hiératique — et qui devait déjà exister vers 400 dans
les régions grecque et syrienne.

Cette Ascension appartient à la catégorie des images de visions,
qu'André Grabar caractérise par les trois éléments suivants : le
personnage essentiel se présente en majesté à l'intérieur d'une
auréole et le ou les visionnaires remplacent sur la scène les acoly-
tes habituels ; il peut s'agir d'un prophète tel qu'Ézéchiel ou
Habacuc, ou bien, dans le cas de l'Ascension, des apôtres et de la
Mère de Dieu.

LES ÉLÉMENTS DE LA COMPOSITION

LE CHRIST

Dans la partie supérieure — céleste — de la composition, le Seigneur glorieux s'élève, vêtu de vêtements éblouissants. Sa tête est entourée du nimbe crucifère. Il est généralement assis en majesté sur un trône ou un arc-en-ciel, plus rarement debout. Il bénit de la main droite, portant de la gauche l'Évangile ou un rouleau.

Deux ou quatre anges aux ailes déployées, reprenant le thème classique de l'apothéose d'un empereur romain après sa mort, portent autour du Christ une grande auréole ronde en forme de bouclier lumineux qui peut être constellée d'étoiles. Elle indique, comme l'éclat des vêtements, la divinité de Jésus. Nous sommes donc en présence de la représentation d'une théophanie. La nuée qui cacha Jésus (Ac 1, 9) n'est-elle d'ailleurs pas elle-même le signe de la présence de Dieu ?

LE CADRE

Une ondulation horizontale et quelques arbres noueux suffisent à évoquer le mont des Oliviers, cadre de l'événement commémoré. Ils esquissent en outre une sorte de frontière entre les deux parties de la composition : la théophanie en haut, et l'aire terrestre de ses témoins en bas.

LES APÔTRES

La moitié inférieure de l'icône réunit donc les apôtres, divisés en deux groupes égaux de chaque côté de la Vierge Marie. Ils « ont les yeux fixés au ciel » (Ac 1, 10) et plusieurs lèvent la main pour se protéger les yeux de la lumière trop intense (cf. la Transfiguration). D'autres exprimeraient plutôt l'admiration et l'étonnement.

On compte douze apôtres, ce qui constitue une anomalie historique puisque Matthias n'avait pas encore été élu et que l'on reconnaît saint Paul au premier plan de l'un des groupes, Pierre étant à la tête de l'autre. C'est qu'on n'entend pas représenter seulement un événement historique tel qu'il s'est passé. Ce nombre de douze manifeste la plénitude du collège apostolique et de l'Église à qui le Christ promet d'envoyer le Saint-Esprit en vue du témoignage et qu'il assure de sa présence jusqu'à son retour.

LA MÈRE DE DIEU

Entre les deux groupes de six apôtres, la Mère du Christ. Sa présence, qui n'est pas mentionnée dans l'Écriture, est tout de même probable. Les hymnes liturgiques en font d'ailleurs état.

Debout, les bras levés et les paumes des mains ouvertes, la Vierge Marie adopte la position de l'orante, c'est-à-dire de la « pietà » antique. Cette vertu de piété signifie d'abord ici la soumission de Marie au désir de Dieu qu'elle devienne l'instrument de l'incarnation, sans laquelle notre chair humaine n'aurait pas été exalté en la personne de Jésus-Christ. Il y a ici un rappel de l'Annonciation et de la conception de Jésus.

La « piestà » exprime aussi l'accueil réservé au Seigneur quand il reviendra à la fin des temps.

Elle illustre enfin la fonction de l'Église : assurer une prière incessante au Seigneur.

LES ANGES

Absents de nombre de représentations antiques et d'abord apparus, semble-t-il, sur l'une des fresques de Baouît en Égypte, deux anges vêtus de blanc et portant le bâton des messagers se tiennent aux côtés de la Mère de Dieu et s'adressent à chacun des deux groupes d'apôtres en montrant le Christ du doigt. Ils peuvent tenir un cartel sur lequel serait écrit pour l'un : « Hommes de Galilée, pourquoi restez-vous ainsi à regarder le ciel ? » et pour l'autre : « Celui qui vous a été enlevé, ce même Jésus, viendra comme cela, de la même manière dont vous l'avez vu partir vers le ciel. » (Ac 1, 11.) Ce texte peut aussi être inscrit de manière décorative dans les compositions monumentales.

Cette intervention angélique accentue le côté eschatologique de l'icône de l'Ascension.

CONCLUSION

L'icône de l'Ascension du Seigneur Jésus nous rend donc présente la vision des apôtres : à la fois événement passé et événement actuel — l'humanité du Christ glorifié étant toujours la même ; promesse du Saint-Esprit qui fait l'Église et permet son témoignage ; attente confiante et active enfin de l'événement du retour du Seigneur.

23.

XX

LA SAINTE PENTECÔTE
OU
LA DESCENTE DU SAINT-ESPRIT
SUR LES APÔTRES
(Cinquantième jour après Pâques)

En grec	: Ἡ ἉΓΊΑ ΠΕΝΤΗΚΟΣΤΉ Hè hagia pentèkostè
ou	: Ἡ ΚΆΘΟΔΟΣ ΤΟῪ ἉΓΊΟΥ ΠΝΕΎΜΑΤΟΣ Hè kathodos tou hagiou pneumatos
En slavon	: СВЯТА́Я ПЯТПЕСЯ́ТНИЦА Svjataja pjatdesjatnica
ou	: СОШЕ́СТВИЕ СВЯТА́ГО ДУ́ХА АПО́СТОЛОВ Sošestvié svjatago duha na apostolov

ORIGINE, SOURCES, LITURGIE

L'ÉCRITURE

La fête unique du grand dimanche de la Pentecôte s'étant disloquée, on a réservé à ce qui en était le jour de clôture la commémoration de la Descente du Saint-Esprit sur les apôtres, événement que rapportent les Actes des Apôtres 2, 1-41.

On peut aussi se reporter à Jean 14, 16 ; 15, 26 ; 20, 22.

LA LITURGIE

Dans la manifestation du Saint-Esprit à la Pentecôte, l'Église reçoit la révélation de la Sainte Trinité qu'elle fête donc tout autant que l'événement lui-même.

« Nous fêtons la Pentecôte et la venue du Saint-Esprit, l'accomplissement de la promesse et la réalisation de l'espérance. Quel mystère ! Qu'il est grand et vénérable ! C'est pourquoi nous crions : Créateur de l'univers, gloire à toi ! » *(Lucernaire.)*

« L'Esprit Saint procure tous les bienfaits : il fait jaillir comme d'une source les prophéties, il institue les prêtres, il instruit dans la sagesse les illettrés ; de pêcheurs, il a fait des théologiens ; il donne toute sa forme à la constitution de l'Église. Ô Paraclet consubstantiel et corégnant avec le Père et le Fils, gloire à toi ! » *(Lucernaire.)*

« Venez, peuples, adorons la Divinité en trois personnes : le Fils dans le Père avec le Saint-Esprit. Car hors du temps le Père engendre un Fils coéternel et corégnant, et le Saint-Esprit est dans le Père, glorifié avec le Fils, puissance unique, unique substance, unique divinité ; c'est elle que nous adorons tous en disant : Saint Dieu, qui as tout créé par le Fils avec le concours du Saint-Esprit. Saint fort par qui nous avons connu le Père et par qui l'Esprit Saint est venu dans le monde. Saint immortel, Esprit consolateur qui procèdes du Père et reposes dans le Fils. Trinité Sainte, gloire à toi ! » *(Lucernaire.)*

« Les langues jadis furent confondues en punition de la présomption mise à construire une tour [Babel] ; les langues maintenant se sont remplies de sagesse, du fait de la gloire de la connaissance divine. Alors, Dieu avait condamné les impies pour leur péché ; maintenant, le Christ illumine les pécheurs par l'Esprit. Alors, comme punition, il leur arriva de ne plus pouvoir se faire comprendre ; maintenant, l'harmonie se renouvelle pour le salut de nos âmes. » *(Apostiche des vêpres.)*

« L'Esprit Saint était, est et sera toujours ; sans commencement et sans fin, mais toujours sur le même rang que le Père et le Fils et compté avec eux ; vie et vivifiant, lumière et donnant la lumière ; bon en lui-même et source de bonté ; c'est par lui que le Père est connu et le Fils glorifié, et que chez tous les hommes se fait connaître une seule puissance, une seule substance, une seule adoration de la Sainte Trinité. » *(Idiomèle des laudes.)*

« Béni sois-tu, ô Christ notre Dieu, qui as rendu maîtres en sagesse de simples pêcheurs, leur envoyant l'Esprit Saint, et par eux prenant au filet l'univers entier. Gloire à toi, ami des hommes ! » *(Tropaire.)*

L'ICONOGRAPHIE

Le premier exemple connu d'une composition dont le sujet soit vraiment la Descente du Saint-Esprit sur les apôtres figure sur une icône du monastère Sainte-Catherine du mont Sinaï que Sotiriou estime remonter au VIIe siècle.

On y voit dans la partie supérieure le Christ en buste. Les apôtres sont alignés dans la partie inférieure, de face. Ils se tiennent debout et font le geste de la parole. Entre Pierre et Paul et sous le Christ, on reconnaît la colombe de l'ampoule de l'Ascension-Pentecôte de Monza. La Vierge est absente. De chaque côté du buste du Christ, d'épais rayons descendent jusque sur la tête de tous les apôtres.

Ces rayons pourraient bien provenir d'un schéma de géographie antique destiné à expliquer comment les rayons du soleil atteignent la terre, et qu'on trouve dans la *Topographie chrétienne* de Cosmas Indicopleustès (VI, 11-12). Au sommet de ce diagramme, on voit le buste d'une personnification du soleil. D'un point unique fixé sous ce buste descend, en s'écartant comme les coutures d'une tente ronde, une pluie de lignes séparées par un intervalle régulier et aboutissant à une base graduée correspondant aux diverses régions de l'univers connu. L'idée d'universalité qui découle d'un tel schéma convient très bien à la Pentecôte.

Les apôtres réunis, les rayons de lumière, la théophanie : cette Pentecôte du mont Sinaï possède déjà l'essentiel des composantes de la représentation définitive de la venue du Saint-Esprit telle qu'elle se développera surtout à partir du IXe siècle.

LES ÉLÉMENTS DE LA COMPOSITION

L'ASSEMBLÉE DES APÔTRES. LEUR DISPOSITION

Les apôtres sont dorénavant groupés sur le modèle des scènes d'enseignement que l'on trouve appliqué au Christ et à ses apôtres dès les catacombes, sauf dans le cas de la Cène. Dans l'Antiquité, on appréciait cette forme de portrait où des groupes de poètes, de sages, de docteurs, de géomètres ou de professeurs étaient représentés réunis autour d'un maître comme dans une abside ou une exèdre. C'est d'ailleurs selon cette disposition que sont encore placés dans l'abside des églises byzantines les sièges ou le banc réservés au clergé, de chaque côté du trône épiscopal.

L'exèdre exprime la relation du docteur à ses disciples rangés de part et d'autre, et le rouleau ou le livre que les apôtres tiennent souvent à la main sont un indice de cette origine. De plus, l'enseignement inspiré aux apôtres par le Saint-Esprit qui fait de ces pêcheurs de sages théologiens n'est pas hors de propos. La place du Maître désormais invisible mais toujours chef de son Église est quelquefois conservée au sommet de l'exèdre. De chaque côté, les apôtres siègent d'une manière qui indique leur égalité et leur collégialité.

LE LIEU

L'événement que l'on entend représenter a eu, historiquement, un cadre précis : la chambre haute du mont Sion (Ac 1, 13). On conçoit que la représentation de ce lieu où le Seigneur avait institué l'Eucharistie et envoyé le Saint-Esprit, la première église en somme, se soit inspirée justement des églises bâties ultérieurement.

Il y avait à l'époque dans une église deux endroits surélevés, à l'extrémité arrondie, faits pour recevoir sur leur pourtour un banc ou des sièges à dossier plein, et dont l'accès, gardé par des marches et une porte ou une barrière, était réservé aux clercs : l'abside et l'ambon. Ce dernier en particulier, construit au milieu et au-dessus de la nef en vue de la lecture des textes inspirés, était bien fait pour évoquer le Cénacle. Une hymne syriaque rapportée par Ch. Walter dit d'ailleurs ceci : « L'ambon est fixé au milieu de l'église, fait selon le type de l'église supérieure de Sion, et au-dessous de lui il y a onze colonnes, comme il y avait onze apôtres qui y étaient cachés. »

La chambre haute est donc évoquée par l'exèdre où siègent côte à côte les apôtres, et l'espace vide qui s'étend à l'intérieur du banc en figure la porte. L'image même de celle-ci apparaît assez souvent chez les Arméniens ou les Syriens. On place aussi fréquemment sur le haut des murs qui forment le fond de la scène le voile rouge conventionnel indiquant qu'on est à l'intérieur.

Les coupoles, comme celles d'Hosios Loukas en Grèce ou de

Saint-Marc à Venise qui sont sans doute des copies de Sainte-Sophie et des Saints-Apôtres de Constantinople, présentent les apôtres assis en cercle. Le vaste espace disponible permet d'attribuer à chacun son propre trône. Ainsi est mieux mis en valeur le fait que chaque apôtre recevant le don du Saint-Esprit devient par là un docteur enseignant ses propres disciples.

LES DOUZE

On compte douze apôtres. Onze sont nommés en Actes 1, 13 : « C'étaient Pierre, Jean, Jacques, André, Philippe et Thomas, Barthélemy et Matthieu, Jacques fils d'Alphée et Simon le Zélote, et Jude fils de Jacques. » À cette énumération, il convient d'ajouter immédiatement le douzième nom, celui de Matthias, « mis au nombre des douze apôtres » (Ac 1, 26) à la place de Judas.

Cependant, on rencontre la plupart du temps à côté de Pierre l'apôtre Paul. L'événement se situe pourtant bien avant le chemin de Damas ! On voit aussi régulièrement Marc et Luc, évangélistes non membres du collège apostolique. L'auteur des Actes note par ailleurs que les disciples du Christ réunis étaient « au nombre d'environ cent vingt personnes » (Ac 1, 15) et que « Marie, la mère de Jésus » (Ac 1, 14), était présente. Or elle n'est jamais représentée, et cela depuis le début de l'iconographie de la Pentecôte.

La suppression de trois apôtres, la sélection des deux évangélistes parmi les cent vingt, l'anticipation de la présence de Paul, l'absence de la Mère de Dieu indiquent d'abord que l'icône n'a pas pour but de raconter qui était là. Toute l'Église, et chacun de ses membres, est transformée par les énergies du Saint-Esprit, et cette transformation s'opère à la fois dans la louange divine et dans l'évangélisation du monde afin que tous les peuples adorent la Sainte Trinité et trouvent en elle leur unité.

C'est cette plénitude ecclésiale proprement apostolique dans la réception du don et dans sa communication par la mission qui est signifiée par le nombre de douze institué par Jésus lui-même quand il choisit ses apôtres.

L'UNIVERS

À partir du IXe siècle, et le premier exemple semble en être le manuscrit Paris-grec 510 daté des environs de 890, la foule

« d'hommes pieux venus de toutes les nations qui sont sous le ciel » (Ac 2, 5) est représentée se pressant à la porte du Cénacle, attirée par le bruit et bouleversée en entendant ces Galiléens parler leurs propres langues.

Dans les coupoles, on représente ces peuples ou « langues » dans les trompes, comme à Hosios Loukas ou, comme à Venise, en plaçant dans une rangée inférieure à celle des apôtres des représentants de chaque peuple sous l'apôtre qui l'aurait évangélisé.

Pour exprimer la variété de ces peuples, les artistes n'ont pas craint d'utiliser de nombreuses couleurs ni de faire appel aux costumes les plus différents. Arméniens et Syriens surtout ont renchéri en montrant même souvent un représentant du Pays-des-hommes-à-tête-de-chien, la Cynocéphalie, contrée mythique qu'Hérodote situe en Libye et soi-disant évangélisée par saint André. Des Cynocéphales sont d'ailleurs aussi représentés sur le grand tympan de Vézelay.

On se rend compte ici que la foule est maintenant composée de tous les peuples possibles et imaginables auxquels le Saint-Esprit envoie l'Église afin de leur annoncer le salut en Jésus-Christ.

Dans une Pentecôte de l'église cappadocienne Tokali II (Xᵉ siècle) apparaissent, peut-être pour la première fois, des empereurs nimbés à la tête des peuples, ainsi que le prophète Joël déployant sur un cartel le texte de sa prophétie (Jl 3, 1-5). La présence des empereurs constitue une allusion au rôle missionnaire du souverain « égal aux apôtres », dans ce sens que sa fonction le conduit à poursuivre l'évangélisation commencée par les apôtres et ainsi à rassembler tous les peuples dans l'unité de l'empire chrétien.

Par manque de place, on a ensuite été amené à simplifier : un empereur symbolisant l'*œcouménè,* c'est-à-dire la partie de l'univers déjà réunie à Constantinople, et quelques autres personnages évoquant les Barbares ont seuls été représentés.

Dans un stade ultime, enfin, l'empereur reste seul et reçoit le nom de Cosmos. Il symbolise donc maintenant l'univers. Il porte dans un linge blanc qu'il tend entre ses bras ouverts les douze rouleaux de la prédication apostolique qui l'illumine.

Notons qu'à l'église Saint-Démétrios de Pécs il existe une fresque de la Pentecôte où l'on voit le saint patriarche Éphrem III à la place de Cosmos comme à une place d'honneur, tandis qu'empereur et représentants de peuples multiples se serrent sur les côtés, derrière les apôtres.

Dans l'église du monastère athonite de Chilandari, c'est Joël, le prophète de la Descente du Saint-Esprit (Jl 3, 1-5), qui remplace le Cosmos, dont il garde pourtant tout le costume royal et les attributs. Seule l'inscription change. Cette originalité ne peut être érigée en modèle.

LE CIEL

Dans la partie supérieure de la composition, l'icône sinaïtique du VIIᵉ siècle présentait une théophanie du Christ, de qui partaient les rayons du don de l'Esprit vers chaque apôtre.

Par la suite, avec la dissociation de l'Ascension et de la Pentecôte, l'image du Christ disparaît au profit d'un symbole particulièrement adapté à une coupole. À Hosios Loukas et Venise, comme primitivement à Sainte-Sophie et aux Saints-Apôtres de Constantinople, le sommet de la coupole dorée est occupé par un disque bleu au centre duquel un trône à marchepied est dressé. Sur le trône est posé le livre des Évangiles sur lequel une colombe auréolée se tient. Cette composition symbolique reflète l'évolution byzantine de la Pentecôte en fête de la Trinité.

Comme dans toute l'iconographie, la sphère céleste désigne ici la Divinité, et plus spécialement Dieu le Père. La colombe évoque le Saint-Esprit par référence au Baptême du Christ. L'Évangile intronisé indique la présence du Seigneur Jésus.

Ce dernier symbole provient de l'Antiquité romaine où trône, cierges, encensoirs étaient essentiels au culte impérial : ainsi la vue de l'un de ces objets indiquait que l'empereur était présent d'une manière ou d'une autre. L'Évangile sur un trône correspond donc à une théophanie, qui disparaît en l'absence de ce siège. Il faut noter ici que la Croix est toujours considérée comme intronisée et donc révélant toujours la présence du Seigneur (cf. Nicée II). Elle se dresse d'ailleurs souvent sur le trône, accompagnée des instruments de la Passion et ornée de la couronne d'épines pour couronne impériale.

En dehors d'une coupole, c'est-à-dire sur une surface plane, on ne rencontre qu'un segment de cercle, qui peut contenir l'Évangile intronisé et la colombe. Souvent, la colombe disparaît, laissant les rayons représenter à eux seuls le don de l'Esprit. Plus souvent, c'est l'Évangile intronisé qui manque, peut-être par défaut de compréhension, alors que la colombe est facilement accueillie.

L'image du manuscrit Paris-grec 510 montre bien le collège

apostolique réuni sous le Christ suivant une structure semblable à celle de l'icône du Sinaï, mais ici sa théophanie est symbolisée par l'Évangile intronisé d'où jaillissent les rayons du don de l'Esprit.

LES RAYONS DE LUMIÈRE

Quant aux rais lumineux, ils représentent bien sûr la grâce du Saint-Esprit qui fait communier les hommes à la Divinité. Ils dessinent le trajet des langues de feu qui se posèrent sur chacun et qui ne sont parfois même pas représentées, quand le rayon est de couleur sombre et qu'il atteint la tête de l'apôtre. Quand le rayon est clair, comme à Hosios Loukas, on voit la langue de feu à travers. Dans d'autres cas, les rayons jaillissent du ciel comme une pluie d'étincelles sans toucher personne, et les langues sont posées sur le nimbe de chacun. D'autres fois, enfin, on ne voit qu'une couronne de flammèches ornant la périphérie de la sphère.

CONCLUSION

L'icône de la Pentecôte, à cause des éléments qui la structurent, a servi de modèle au moins partiel à la composition d'images de rassemblements ecclésiastiques solennels tels que les conciles, pour exprimer l'harmonie de l'assemblée ecclésiale, harmonie qui avait disparu depuis la tour de Babel.

La Descente du Saint-Esprit sur les apôtres nous met donc d'abord en présence de la Sainte Trinité. Actif, Dieu jette son feu sur la terre (Lc 12, 49) et envoie son Église, bâtie sur les fondations des apôtres (Ep 2, 20), en mission jusqu'au bout du monde (Ac 1, 8). Les apôtres auront été les premiers à faire l'expérience de la régénération dans le Saint-Esprit, ce dont témoigne la vie de la première communauté chrétienne (Ac 2, 42-47). Conversion, action de grâces, confession du salut reçu en Jésus-Christ et évangélisation, vie fraternelle : voilà la Pentecôte.

XXI

УСПЕНІЕ ПРЧТЫА БЦЫ

24.

DORMITION DE LA TRÈS SAINTE MÈRE
DE DIEU
(15 août)

En grec : ʽΗ ΚΟΙΜΗCΙC ΤΗ̄C Υ̓ΠΕΡΑΓΙΑC ΘΕΟΤΟΚΟΥ Hè koimèsis tès huperagias Théotokou En slavon : УСПЕ́НИЕ ПРЕСВЯ́ТІЫЯ ЬОГОРО́ДИЦЫ Ouspénié presvjatyjaʼ Bogorodicy

ORIGINE, SOURCES, LITURGIE

ORIGINE DE LA FÊTE

L'Église de Jérusalem a possédé très tôt une fête consacrée à Marie Mère de Dieu, mais, alors qu'ailleurs cette mémoire était fixée au 26 décembre ou au 1er janvier, en relation avec la nativité du Seigneur, elle y avait lieu le 15 août.

On se rendait alors au *cathisma,* ou halte, où Marie se serait reposée avant d'arriver à Bethléem. Quand on reconstruisit dans la vallée de Josaphat — où la Tradition plaçait le tombeau de la Vierge — l'ancienne basilique Sainte-Marie (vers 500), on en fit le lieu du tombeau, tandis que le Cénacle devenait l'endroit où elle était endormie dans la mort. Une procession au tombeau fêtait la toute pure Mère de Dieu partie rejoindre son Fils et Dieu.

La fête fut étendue à tout l'Empire byzantin par l'empereur

Maurice, entre 588 et 602, selon l'usage de Jérusalem, et elle fut introduite à Rome par le pape Théodore Iᵉʳ (642-649) qui était originaire de Jérusalem.

La Dormition de la Mère de Dieu est l'une des douze grandes fêtes de l'année liturgique.

LES SOURCES

Dans l'Écriture, rien ne fait même allusion à la fin terrestre de la Vierge Marie, mentionnée pour la dernière fois en Actes 1, 14. La foi de l'Église s'est exprimée à travers des récits apocryphes, les écrits de Pères de l'Église et la Liturgie.

Les récits apocryphes sont nommés les *Transitus Mariae.* Selon E. Cothenet, le document le plus ancien, le « Fragment Wright », remonterait à la fin du IIIᵉ siècle. On connaît surtout le *Livre du Passage de la très sainte Mère de Dieu,* faussement attribué à Méliton de Sardes, et le *Livre arabe du Passage de la Bienheureuse Vierge Marie,* plus verbeux, mais où l'on trouve l'explication de ce qui a trait à l'apôtre Thomas dans l'iconographie de la fête.

Remarquons ici que le mot latin *transitus,* qui se traduit par «passage», correspond au grec METÁCTACIC *(metastasis).* Dans les traductions, ce dernier mot est souvent rendu par «Assomption», vocable qui désigne l'exaltation dans la gloire divine de la Mère de Dieu ressuscitée. En slavon, on dit ΠΡΕСΤΑΒΛΈΗΪΕ *(prestavlenié).*

Chez les Pères, les meilleurs témoignages apparaissent à partir du VIIIᵉ siècle, surtout chez saint Germain de Constantinople († 740), saint Jean Damascène († 749), saint Théodore le Studite ensuite († en 826).

Interpolation très ancienne de la seconde homélie de saint Jean Damascène sur la Dormition, un passage de l'*Histoire euthymiaque* fournit un résumé de la légende du «passage» de la Vierge Marie. En voici un extrait, placé sur les lèvres de Juvénal, archevêque de Jérusalem :

« Dans la Sainte Écriture inspirée de Dieu on ne raconte pas ce qui se passa à la mort de la sainte Théotokos Marie, mais nous tenons d'une tradition ancienne et très véridique qu'au moment de sa glorieuse Dormition, tous les saints apôtres, qui parcouraient la terre pour le salut des nations, furent assemblés en un instant par la voie des airs à Jérusalem. Quand ils furent près d'elle, des anges leur apparurent dans une vision, et un divin concert des puissances supérieures se fit entendre. Et ainsi, dans une gloire divine et céleste, la Vierge remit aux mains de Dieu sa sainte âme d'une manière ineffable. Quant à son corps, réceptacle de la divinité, il fut transporté et enseveli, au milieu des chants des anges et des apôtres, et déposé dans un cercueil à Gethsémani, où pendant trois jours persévéra sans relâche le chant des chœurs angéliques. Après le troisième jour, ces chants ayant cessé, les apôtres présents ouvrirent le cercueil à la demande de Thomas qui seul avait été loin d'eux, et qui, venu le troisième jour, voulut vénérer le corps qui avait porté Dieu. Mais son corps digne de toute louange, ils ne purent aucunement le trouver ; ils ne trouvèrent que ses vêtements funèbres déposés là, d'où s'échappait un parfum ineffable qui les pénétrait, et ils refermèrent le cercueil. Saisis d'étonnement devant le prodige mystérieux, voici seulement ce qu'ils pouvaient conclure : celui qui dans sa propre personne daigna s'incarner d'elle et se faire homme, Dieu le Verbe, le Seigneur de la gloire, et qui garda intacte la virginité de sa Mère après son enfantement, celui-là avait voulu encore, après son départ d'ici-bas, honorer son corps virginal et immaculé du privilège de l'incorruptibilité, et d'une translation avant la résurrection commune et universelle. »

Pour toute la Tradition, la maternité divine de Marie, sa sainteté et sa virginité ainsi que l'union de tout son être avec la Sainte Trinité rendent inconcevable la corruption du tombeau mais invitent à penser qu'elle a imité le Christ en mourant aussi bien qu'en étant glorifiée, afin d'être auprès du Seigneur comme l'ambassadrice des hommes et, auprès des hommes, comme l'instrument de la tendresse de Dieu.

LITURGIE

Les textes liturgiques constituent une méditation joyeuse et respectueuse du mystère qui s'est accompli en Marie, dans une synthèse où la foi exprimée par les récits des Apocryphes est épurée par la théologie des Pères, pour être ensuite traduite en prières, notamment par les poètes Cosmas et Théophane Graptos (VIIIe et IXe s.).

« Dans ton enfantement, tu es restée vierge ; dans ta Dormition, tu n'as pas abandonné le monde, ô Mère de Dieu. Tu as été transférée à la vie, étant Mère de la Vie, et par tes prières tu rachètes nos âmes de la mort. » *(Tropaire.)*

« Tombeau et mort furent impuissants à retenir la Mère de Dieu, toujours vigilante dans ses intercessions, notre espérance inébranlable par sa protection ; car comme elle est la Mère de la Vie, il l'a transférée à la vie, celui qui a habité son sein toujours vierge. » *(Kondakion.)*

« Tu as remporté contre la nature le prix des victorieux, ô Pure, en mettant Dieu au monde ; cependant, à l'imitation de ton Créateur et Fils, tu t'es soumise aux lois de la nature en la dépassant ; aussi, après ta mort, tu ressuscites pour vivre éternellement avec ton Fils. » *(Ode 1.)*

« Les apôtres théophores qui, sur un signe divin, étaient enlevés dans les airs sur des nuages de toutes les parties du monde, en emportant ta dépouille toute pure et principe de vie, la couvraient de baisers. Les puissances célestes les plus élevées présentes avec leur Maître, saisies de crainte, faisaient cortège au corps virginal réceptacle de la Divinité ; elles s'avançaient au-dessus du monde et, sans être vues, elles criaient aux troupes qui sont au-dessus d'elles : Voici que s'approche la Fille de Dieu, reine de l'univers ! Ouvrez large vos portes et, avec une magnificence surpassant celle du monde, accueillez la Mère de la lumière intarissable car, par elle, le salut est advenu à toute la race humaine. Nous ne pouvons porter sur elle nos regards et nous sommes impuissantes à lui accorder un présent digne d'elle ; son caractère suréminent est au-dessus de toute pensée. C'est pourquoi, immaculée Mère de Dieu, toujours vivante avec le Roi de Vie, ton enfant, ne cesse pas d'intercéder pour que soit gardée et sauvée de toutes les attaques de ses ennemis la troupe de tes enfants, car nous sommes sous ta protection et nous te béatifions à pleine voix dans tous les siècles. » *(Lucernaire.)*

« L'épouse tout immaculée, la Mère en qui le Père s'est complu, celle que Dieu avait prédestinée à être l'habitacle de son union sans mélange, remet en ce jour son âme à Dieu son Créateur. Les puissances incorporelles l'accueillent divinement ; vraiment Mère de la Vie, elle est transférée à la Vie, le flambeau de la lumière inaccessible, le salut des croyants et l'espérance de nos âmes. » *(Liturgie.)*

L'ICONOGRAPHIE

En dehors de quelques représentations antiques de l'Ascension de la Vierge Marie ressuscitée — dont l'exemple le plus ancien est un sarcophage du IVe siècle qui se trouve à Saragosse, dans la basilique souterraine des Dix-Huit-Martyrs ou de Santa Engracia —, on n'en connaît pas remontant au-delà du Xe siècle.

La composition est bâtie sur un axe horizontal (le corps étendu de la Mère de Dieu) et sur un axe vertical (le Christ).

À partir du XVe siècle, le schéma ancien et sobre de la Dormition est enrichi à l'aide d'éléments empruntés à la tradition des Apocryphes qui permettent d'exprimer dans une image visible des choses qui appartiennent au monde invisible, afin de permettre une contemplation spirituelle possible dans le contexte de l'Église.

Les éléments réunis peuvent être relativement nombreux et font abstraction des données de l'espace et du temps.

LES ÉLÉMENTS DE LA COMPOSITION

LA MÈRE DE DIEU

Au centre de la partie inférieure de la composition apparaît le corps de la Vierge Marie gisant sur un lit d'apparat. Elle est vêtue comme d'ordinaire, les mains croisées sur la poitrine et la tête nimbée. Ses yeux clos indiquent la mort par laquelle, quoique sans péché, Marie a librement voulu passer pour imiter son fils Jésus en lui remettant son âme :

« Tu as remis ton âme entre les mains de celui qui, pour nous, a reçu de toi son humanité... » *(Cathisme 2 du 14 août.)*

Sortie par la bouche de Marie lors de son dernier soupir, tel un nouveau-né — selon la croyance antique —, son âme nimbée repose à présent sur les bras du Christ, enroulée dans ses langes blancs. La mort de la Vierge n'est-elle pas en réalité sa naissance au ciel ?

« Ta mort fut le passage vers une vie éternelle et meilleure, ô Pure ; d'une condition mortelle elle te transporte à une vie vraiment divine et permanente, ô Immaculée, pour contempler dans la joie ton Fils et Seigneur. » *(Ode 4.)*

Il arrive que l'on voie, sur des icônes anciennes, le Christ confier l'âme de sa Mère à des anges « psychopompes » chargés de la conduire au ciel sur leurs bras respectueusement couverts d'une draperie.

Les compositions plus développées suggèrent ou montrent en outre l'élévation au ciel de la Vierge ressuscitée.

L'expression restreinte consiste à représenter au centre et au sommet de la composition une demi-sphère signifiant le ciel. Sur ce fond apparaissent les deux battants des portes du paradis, écartés par les anges qui accueillent la Vierge.

« [...] Ouvrez-vous, ô portes, afin qu'entre, au milieu de la joie universelle, la Porte de Dieu qui va demander sans interruption pour le monde la grande pitié. » *(Lucernaire des petites vêpres.)*

L'expression complète fait figurer l'ascension même de la Mère de Dieu, analogue à celle du Christ, trois jours après sa mort.

Marie est assise sur un trône à l'intérieur d'une auréole ou d'une mandorle aux lumineux cercles concentriques. C'est dans cet attribut divin que des anges la font monter vers le ciel dans la partie supérieure de la composition. Les rayons des énergies divines s'échappent de son corps glorifié, exceptionnellement vêtu de vêtements parfaitement blancs, comme c'est le cas sur la magnifique icône de l'atelier de maître Denys exposée au musée Andreï-Roublev de Moscou. Généralement, Marie porte plutôt dans son exaltation les mêmes vêtements qu'à l'ordinaire et qu'on la voit porter sur son lit de mort. Elle se présente de trois quarts — exceptionnellement de face —, en orante — les bras écartés et les mains ouvertes —, penchée vers la terre dont elle ne se sépare pas mais pour laquelle elle intercède puissamment.

« En s'en allant, la Toute Pure élève ses mains, ses mains qui avaient hardiment embrassé Dieu dans son corps, et, comme une mère, elle dit à son Enfant : ''Garde dans les siècles ceux que tu m'as acquis et qui te crient : Chantons l'unique Créateur, nous les rachetés, et exaltons-le dans tous les siècles.'' » *(Ode 8.)*

« [...] Te voyant enlevée de terre sur les nuées, les apôtres te criaient dans leur joie la parole de Gabriel : Salut, habitation de toute la Divinité ; salut à toi qui seule, par ton Enfant, as uni la terre au ciel. » *(Laudes.)*

Notons encore que la Mère de Dieu tient à la main sa ceinture pour la remettre à l'apôtre Thomas.

Sur des compositions importantes, comme les fresques de Serbie ou même une icône chypriote de la collection Phaneromeni, on voit tous les détails de la légende : la Vierge recevant la visite de l'ange qui lui annonce sa fin prochaine en lui remettant une branche de palmier du paradis ; la Vierge s'entretenant avec un groupe de femmes au sujet de son départ ; la mort de la Vierge ; le cortège funèbre conduisant son corps au tombeau ; son exaltation corporelle enfin qui laisse le tombeau vide.

LE CHRIST

Au-dessus de la ligne horizontale tracée par le corps inanimé de la Vierge Marie, l'icône représente le Sauveur. Il donne à la composition son axe vertical et son élan.

Le Christ est descendu des cieux ouverts sous les yeux des apôtres, escorté des troupes angéliques. Il est comme sur les représentations de la Résurrection : debout et rempli d'assurance, la tête ornée du nimbe crucifère, habillé de vêtements brillants et entouré de la mandorle lumineuse de sa gloire, à travers laquelle on distingue des anges portant des luminaires ou prêts à servir, les mains voilées. L'irruption puissante du Ressuscité insuffle à la scène mortuaire son joyeux caractère pascal.

Le Seigneur Jésus est venu recueillir l'âme de sa mère de ses propres mains, délicatement couvertes du pan de son « himation » (manteau) par une attention particulière envers celle qui lui a donné son humanité.

Le Christ tend ensuite souvent l'âme de Marie à des anges chargés de la conduire au paradis.

« Les puissances angéliques étaient transportées en voyant dans Sion leur propre Maître pressant dans ses bras une âme de femme, car à celle qui l'avait enfanté virginalement, il disait comme un enfant : Viens, vénérable, règne en gloire avec ton Fils et Dieu. » *(Ode 9.)*

L'ASSEMBLÉE

Autour du corps de la Mère de Dieu, toute une assemblée s'est constituée, formée des apôtres, d'évêques, de femmes et d'anges.

Ils sont tous réunis au *Cénacle,* évoqué par les constructions qui apparaissent de chaque côté de la mandorle du Christ. D'autre part, les larges portes et les balcons dont s'ornent ces bâtiments en font aussi le cadre du cortège qui se rend au tombeau.

Cette assemblée accuse d'abord l'allure d'une *veillée funèbre.* Les participants manifestent en effet des signes de tristesse, se montrent les uns aux autres le corps de la Vierge, portent la main à la joue avec douleur. Une hymne commence ainsi :

« Quels sont les chants inquiets que faisaient entendre en ton honneur, ô Vierge, tous les apôtres du Verbe entourant ta couche et criant leur stupeur ? » *(Lucernaire.)*

Le *caractère liturgique* de la scène confirme l'aspect funèbre de l'assemblée : les cierges allumés, les chants, l'encensement, les évêques lisant leur rituel, l'*aspasmos* ou dernier baiser donné au corps d'un défunt à l'issue du service des funérailles.

LES APÔTRES

Les apôtres sont représentés deux fois. Tout d'abord, on les voit portés sur des nuées individuelles ou collectives, souvent guidées par des anges. Ils ont ainsi été rassemblés miraculeusement de toutes les parties de l'univers où ils prêchaient la Bonne Nouvelle.

Les apôtres sont ensuite représentés tout autour de la couche de la Vierge, au premier rang de l'assemblée réunie pour l'entourer dans ses derniers moments et pour l'ensevelir ensuite.

« Pour ton immortelle Dormition, Mère de Dieu et Mère de Vie, les nuées ont emporté dans les airs les apôtres ; tout dispersés qu'ils fussent dans l'univers, elles les rassemblèrent en un seul chœur auprès de ton corps immaculé. Eux, en l'ensevelissant avec vénération, chantaient les mélodieuses paroles de Gabriel : Salut, pleine de grâce, Vierge Mère qui as ignoré le mariage, le Seigneur est avec toi... » *(Laudes.)*

À la tête du lit, *l'apôtre Pierre,* présidant l'assemblée, encense le corps de la Mère de Dieu, la main gauche à la joue en signe de douleur :

« [...] Pierre, au milieu de ses larmes, te criait : Ô Vierge, je te vois clairement étendue sur ta couche, toi qui es la vie de toutes choses, et cette vue m'étonne ; car c'est en toi qu'avait établi sa tente la jouissance de la vie future [...]. » *(Idiomèle suivant le psaume 50.)*

Aux pieds de Marie, *l'apôtre Paul* fait pendant à Pierre.

« Le vase d'élection [l'apôtre Paul] se distinguait par ses hymnes en ton honneur, ô Vierge, tout hors de lui et hors du monde, tout voué à Dieu, étant vraiment et se montrant divinement inspiré, ô Mère de Dieu digne de toute louange. » *(Ode 5.)*

L'apôtre Jean, âgé, le front dégarni, la barbe blanche et fournie, s'approche de l'autre côté du lit et donne *l'aspasmos* à la Mère de Dieu.

Saint Thomas, selon une légende qui s'inspire d'ailleurs de l'Évangile de Jean (20, 24-29), était absent lors de la mort et des funérailles de la Vierge. C'est pourquoi, d'ailleurs, sur certaines compositions, il n'y a que onze apôtres portés dans les nuées. Il était en effet très occupé par son ministère apostolique en Inde et c'est avec retard que, lui aussi, il est emporté sur un nuage vers Jérusalem. Mais voilà que, dans les airs, il rencontre la Mère de Dieu s'élevant corporellement vers les cieux. Thomas lui demande de le bénir et elle lui fait cadeau de sa ceinture. Arrivé à Sion trois jours après les événements, il demanda à voir le tombeau de la Vierge Marie, que les apôtres finirent par ouvrir pour le trouver vide. Thomas montra alors la ceinture que la Mère de Dieu lui avait donnée et raconta comment il l'avait vue monter au ciel, ressuscitée.

LES ÉVÊQUES

Concélébrant avec les apôtres, trois ou quatre évêques sont représentés, vêtus des ornements liturgiques épiscopaux, notamment du caractéristique omophorion, large écharpe blanche à croix noires enroulée autour du cou et retombant par-devant et dans le dos, qui symbolise la brebis perdue que ramène le bon pasteur (Lc 15, 3-7). Les évêques continuent dans l'histoire le ministère des apôtres et manifestent ainsi la présence de toute l'Église autour de la Mère de Dieu.

À la suite du passage cité plus haut, l'*Histoire euthymiaque* présente ainsi les évêques présents : « Étaient présents alors avec les apôtres, le saint apôtre Timothée, premier évêque d'Éphèse, et Denys l'Aréopagite, comme lui-même, le grand Denys, dans ses discours adressés au susdit apôtre Timothée, au sujet du bienheureux Hiérothée, lui-même alors présent, en témoigne en ces termes [...]. En présence aussi de Jacques, frère du Seigneur, et de Pierre, la plus haute et la plus ancienne autorité des théologiens [...]. »

Saint Jacques, le frère du Seigneur, dit « le Mineur » (Mc 15, 40), l'auteur de la première épître catholique, fut martyrisé sous Néron en 62. Il a été le premier évêque de Jérusalem et sa fête est fixée au 23 octobre.

Saint Timothée, l'évêque d'Éphèse (cf. 1 Tm 1, 3), est fêté le 22 janvier.

Saint Hiérothée, l'un des neuf conseillers de l'Aréopage, évangélisé par saint Paul, serait devenu le premier évêque d'Athènes et aurait à son tour converti Denys l'Aréopagite. Selon les Ménées du 4 octobre, jour de sa fête, c'est lui qui aurait présidé les funérailles de la Vierge.

Saint Denys l'Aréopagite fut l'un des rares convertis de l'apôtre Paul à Athènes (Ac 17, 34) dont il serait devenu l'évêque. Il est fêté le 3 octobre. Un célèbre écrivain du VIᵉ siècle a emprunté à Denys son nom pour signer ses ouvrages théologiques. On le nomme généralement le pseudo-Denys.

« Lorsque tu allas rejoindre celui qui naquit de toi ineffablement, Mère de Dieu et Vierge, étaient présents Jacques, le frère de Dieu et le premier hiérarque, ainsi que Pierre, le très vénérable et souverain coryphée des théologiens, avec tout le chœur divin des apôtres [...]. » *(Apostiche des vêpres.)*

« En voyant le cercle des apôtres venus des confins de la terre par une volonté toute-puissante auprès de ta très pure Assomption, tout immaculée, les hiérarques Denys, connaisseur des mystères célestes, l'admirable Hiérothée et Timothée, dans l'honneur divin du sacerdoce, chantèrent à Dieu : Alléluia ! » *(Kondakion 2 de l'acathiste de la Dormition.)*

LES FEMMES

Un certain nombre de femmes apparaissent à l'arrière de l'assemblée et sur les balcons des maisons quand il y en a. Elles sont en pleurs.

Trois vierges étaient encore éveillées avec les apôtres quand le Seigneur vint prendre l'âme de sa mère, dont le corps fut ensuite parfumé et enseveli par leurs soins.

« Jeunes vierges, avec la prophétesse Marie [la sœur de Moïse], chantez à présent dans la joie une ode d'adieu, car la Vierge, seule Mère de Dieu, est transportée dans son héritage céleste. » *(Ode 2.)*

Au monastère athonite de Lavra, on nomme Marie-Magdeleine, Marie-Salomé et Marie-Cléophas. Des parents de Marie sont avec elles.

LES ANGES

Partout présents dans l'iconographie de la Dormition, les anges ont déjà été rencontrés, mais récapitulons.

Ils guident souvent les nuages qui amènent les apôtres de leurs missions. Ils font irruption au Cénacle avec le Christ dont ils remplissent la gloire comme par transparence, ce qui souligne leur caractère d'êtres invisibles. Au sommet de la mandorle, un chérubin flamboyant est généralement placé, comme un nœud d'un très bel effet.

« Ta mémoire, Vierge pure, est glorifiée par les principautés, les puissances, les vertus, les anges et les archanges, les trônes et les dominations, les chérubins et les redoutables séraphins ; race des hommes, chantons-la et exaltons-la dans tous les siècles. » *(Ode 8.)*

Les anges psychopompes descendent du ciel en volant et reçoivent des mains du Christ l'âme de sa Mère, les mains respectueusement enveloppées, pour la conduire au paradis.

Les anges portent aussi l'auréole ou la mandorle à l'intérieur de laquelle Marie entre aux cieux. La Vierge ressemble alors à l'Arche d'Alliance, comme le suggère ce texte :

« Dans ton Assomption, Mère de Dieu, les armées angéliques couvraient de leurs ailes très saintes, avec tremblement et avec joie, ton corps, assez vaste pour être l'habitacle de la Divinité. » *(Ode 4.)*

D'autres anges ouvrent les portes du ciel pour y accueillir la Vierge.

On en trouve en outre parfois mêlés à l'assemblée humaine.

« [Avec les apôtres] chantaient les multitudes des anges célébrant respectueusement ton Assomption. Et nous, nous la fêtons dans la foi. » *(Cathisme 2 des matines.)*

On voit enfin l'archange Michel dégainer son épée et couper les mains de l'impie qui voulait renverser la couche de Marie.

L'INCIDENT DE JÉPHONIAS

De nombreuses fois, on voit au premier plan, devant le lit, le prêtre juif Jéphonias, nommé Athonios dans l'acathiste de la Dormition, qui s'est élancé pour renverser le corps de Marie pendant la procession au tombeau. Mais l'archange Michel intervient et lui tranche les mains qui restent collées à la civière jusqu'à ce qu'il confesse la vraie foi.

« Ayant en lui une tempête de pensées infidèles, le juif Athonios, en voyant le corps très pur de la Mère de Dieu porté par les apôtres vers le sépulcre, s'élança vers ce corps pour le jeter à terre ; mais lorsqu'il fut frappé de cécité et que ses mains coupées restèrent collées à la couche de la Vierge, il confessa dans la foi la Mère de Dieu et s'écria : Alléluia ! » *(Acathiste de la Dormition, kondakion 4.)*

La Toute Pure est tout entière consacrée à Dieu qui empêche que quelque mal que ce soit la touche. Le Seigneur l'accompagne comme il accompagnait l'Arche d'Alliance (2 S 6, 6-7).

« La justice de Dieu trancha la main audacieuse du présomptueux : [Dieu] gardait l'honneur dû à l'arche spirituelle, gloire de la Divinité, dans laquelle le Verbe s'était acquis une chair. » *(Ode 3.)*

Cette scène étant d'importance secondaire, Jéphonias et l'archange sont représentés de petite taille.

CONCLUSION

Concluons avec les théologiens russes V. Lossky et L. Ouspensky pour déclarer que, dans la Dormition de la Mère de Dieu,

« la gloire du siècle à venir, la fin dernière de l'homme, est déjà réalisée non seulement dans une hypostase divine incarnée, mais aussi dans une personne humaine déifiée. Ce passage de la mort à la vie, du temps à l'éternité, de la condition terrestre à la béatitude céleste, établit la Mère de Dieu au-delà de la Résurrection générale et du Jugement Dernier, au-delà de la Parousie qui mettra fin à l'histoire du monde. La fête du 15 août est une seconde Pâque mystérieuse puisque l'Église y célèbre, avant la fin des temps, les prémices secrètes de sa consommation eschatologique ».

XXII

25.

PROTECTION DE LA TRÈS SAINTE MÈRE DE DIEU
(1er octobre)
(Dans l'Église de Grèce, le 28 octobre)

En grec : ʽΗ CΚΕΤΤΗ ΤΗ͠C ΥΤΤΕΡΑΓΙΑC ΘΕΟΤΟΚΟΥ
Hè sképè tès huperagias Théotokou

En slavon : ΠΟΚΡΟΒ ΠΡΕСΒЯΤЫЯ ЬΟΓΟΡΟΔИЦЫ
Pokrov presvjatyja Bogorodicy

ORIGINE, SOURCES, LITURGIE

Le terme de *sképè* ou de *pokrov* signifie abri, toit, enveloppe, vêtement, protection. C'est lui que la version biblique des Septante utilise par exemple dans ces versets de psaumes :

« Je voudrais me réfugier à l'abri *(en sképè)* de tes ailes. » (Ps 60, 5.)

« Qui repose à l'ombre *(en sképè)* du Puissant [...]. » (Ps 90, 1.)

ORIGINE. HISTOIRE

En 458, Léon Ier (457-474) reçoit de deux patrices qui l'ont apportée de Jérusalem une relique insigne : le vêtement de la Mère de Dieu. Il l'installe dans une châsse à l'église du quartier des Bla-

chernes, à Constantinople, construite pour l'accueillir. Ce vêtement, le « maphorion » (mot dérivé de « omophorion », c'est-à-
dire « qui couvre les épaules »), est considéré comme le palladium
de la cité, sa protection.

On fête le 2 juillet cette arrivée à Constantinople du manteau de
la Vierge. En voici les hymnes principales :

« Mère de Dieu toujours vierge, protection des hommes, tu as donné à
ta ville, en guise de puissant rempart, ta robe et la ceinture de ton corps
immaculé. À cause de ton enfantement immaculé, elles demeurèrent
intactes. Car par toi la nature et le temps sont renouvelés. C'est pourquoi nous te supplions d'accorder la paix à l'univers et à nos âmes
grande miséricorde. » *(Tropaire.)*

« Ô immaculée et pleine de grâce divine, tu as donné à tous les fidèles,
en guise de rempart d'incorruptibilité, ta sainte robe dont tu as enveloppé ton corps sacré, ô divine protection des humains. Tandis que nous
en célébrons aujourd'hui avec amour la déposition, nous te crions avec
foi : Salut, Vierge, fierté des chrétiens ! » *(Kondakion.)*

Sous Justinien (527-565) eut lieu le transfert de la ceinture de la
Mère de Dieu de Zéla (Cappadoce) à l'église byzantine de Chalco-
prateia, que l'on commémore encore le 31 août.

En 626, sous Héraclius, la délivrance de Constantinople assié-
gée par les Avars et les Perses est attribuée à la protection du
maphorion de la Vierge. Le peuple passa la nuit à prier dans
l'action de grâces, chantant l'hymne acathiste debout.

En 677, Constantin Pogonat l'emporte sur les Arabes.

En 717, Léon III l'Isaurien force les Arabes à lever un siège
d'un an.

L'hymne acathiste, toujours chantée le cinquième samedi du
grand Carême, commémore ces trois délivrances merveilleuses de
Constantinople, bastion de la chrétienté, attribuées à la Vierge
Marie. En tant que tel, il s'agit d'un poème probablement dû à
Romain le Mélode, diacre originaire de Homs/Émèse († après
556), chantant l'Annonciation, fête à laquelle il avait servi aupa-
ravant. Seul, le kondakion semble directement adapté aux événements :

« Invincible chef d'armée, à toi les accents de victoire !
Libérée du danger,
Ta ville, ô Mère de Dieu,
T'offre les hymnes de reconnaissance.
Toi, dont la puissance est irrésistible,
De tout péril délivre-moi,
Pour que je puisse t'acclamer :
Salut à toi, Épouse inépousée ! »

En 860 ou 861, les barques russes menaçant la cité, le patriarche Photios supplée Michel III absent et relance la confiance du peuple dans le maphorion : une tempête disperse les bateaux.

En 919, Romain Ier Lécapène se revêt du manteau de la Vierge pour parlementer avec le roi bulgare Siméon qui occupe déjà les faubourgs de la ville.

Entre 1081 et 1118, Alexis Ier Comnène use du manteau en plusieurs circonstances.

À travers cette histoire concrète, la Mère de Dieu a protégé la cité grâce à la relique de son maphorion. La protection même de la Vierge fut manifestée à l'occasion suivante.

VISION DU FOL EN CHRIST SAINT ANDRÉ

C'était sous le règne de Léon VI le Sage (886-912). André était un Scythe qui, cherchant à communier dans les outrages et l'humiliation subis par le Christ, simulait la folie selon une forme d'ascèse vénérée en Orient mais non inconnue de l'Occident.

Avec Épiphane, dont il était le père spirituel, André participait à la vigile dominicale commençant la célébration du dimanche 1er octobre 902 dans l'église Sainte-Marie des Blachernes. Pendant l'office il vit s'approcher, par-dessus les portes royales, la Mère de Dieu, immense et majestueuse, accompagnée de Jean le Précurseur et de Jean le Théologien. À genoux, elle pria une heure avec larmes ; puis elle se rendit au-dessus de l'autel et pria pour le peuple, ouvrant son manteau et en tenant les extrémités de ses mains, les bras écartés en orante.

Cet événement a permis aux Slaves de célébrer la protection de la Vierge sans participer de l'histoire byzantine et sans posséder les fameuses reliques. La fête — l'une des six grandes fêtes du calendrier russe — remonte au moins au début du XIIe siècle. Son iconographie spécifique semble remonter au XIIIe siècle et le plus ancien exemple connu, selon Miroslav Lazović, est une fresque de la cathédrale de la Nativité à Souzdal (entre 1227 et 1233).

L'OFFICE

« L'admirable André te vit dans les hauteurs en compagnie de la multitude des archanges, avec les apôtres et les prophètes, avec la foule des martyrs, alors que tu priais ton Fils notre Dieu pour la cité et le peuple, ô Souveraine, et que tu les couvrais de ta pure protection. Ne sois pas moins généreuse à présent encore, ô très pure, pour sauver l'héritage élu de ton Fils qui célèbre ta fête glorieuse, toi la très louée. » *(Laudes.)*

« En ce jour, les fidèles se réjouissent de venir fêter et vénérer ton apparition, ô Mère de Dieu, et de contempler ton image très sainte. Ils chantent humblement : Couvre-nous de ta pure protection, délivre-nous de tout mal, et prie ton Fils, le Christ notre Dieu, de sauver nos âmes. » *(Tropaire, ton 4.)*

« En ce jour, la Vierge à l'église se présente et avec le chœur des saints invisiblement prie Dieu pour nous ; les anges avec les pontifes se prosternent, tandis que les apôtres se réjouissent avec les prophètes, car c'est pour nous que la Mère de Dieu supplie le Dieu d'avant les siècles. » *(Kondakion, ton 3.)*

L'ICONOGRAPHIE

La composition iconographique condense visuellement, dans le thème de la vision du fol en Christ André, la foi en l'intercession et en la protection puissante de la Sainte Vierge. La scène est représentée dans l'église des Blachernes dont les coupoles ornent le sommet de la composition.

La Mère de Dieu apparaît au-dessus de la foule, au centre de l'église. Elle est dépeinte en orante, debout et en pied, selon le type de la Vierge des Blachernes — ou « Blachernitissa ». Dans ses vêtements habituels, elle est souvent entourée d'une mandorle, les pieds sur une nuée.

Marie intercède en faveur du peuple auprès de son Fils *Jésus-Christ* qui apparaît souvent au-dessus d'elle, bénissant et en buste. Non seulement elle intercède pour le peuple, mais elle le protège encore de son maphorion, généralement étendu entre ses bras écartés et levés pour prier.

Il arrive que la Mère de Dieu ne porte rien dans les bras et que son manteau soit déployé au-dessus d'elle par deux anges, ce qui montre une incidence du « miracle habituel ». Voici ce dont il s'agit : en 1031, sous Romain III, on découvrit sous l'enduit d'un mur des Blachernes, où elle avait dû être cachée au temps de l'iconoclaste Copronyme, une icône de la Vierge tenant l'Enfant sur sa poitrine. Le « miracle » consistait en la levée du voile couvrant l'icône du vendredi soir au samedi à none, ce qui dura jusqu'en 1204, quand les croisés s'emparèrent de Constantinople. Suivant le fonctionnement de ce dévoilement de l'icône, les empereurs en tiraient bon ou mauvais augure.

La Mère de Dieu est accompagnée du *Précurseur et Baptiste Jean* ainsi que de *Jean l'Apôtre et théologien.* Des *saints* et des *anges* nombreux les entourent, parfois rangés par catégories.

André, le fol en Christ, ne porte qu'un manteau grossier et il est hirsute. Il désigne l'apparition en demandant à son disciple Épiphane : « Vois-tu la Maîtresse et Reine du Monde ? », tous deux se trouvant en bas à droite de la composition.

L'empereur, éventuellement accompagné de l'impératrice, et le patriarche figurent sur la composition selon les nécessités de son équilibre. Ils forment la double tête de la société de type byzantin. Ce sont eux qui, pour le salut du peuple, demandaient secours à la Vierge auprès de la relique de son maphorion.

Au centre et en bas, *Romain le Mélode* est représenté debout dans une chaire ou sur un ambon. Il est vêtu en diacre et déploie un rouleau sur lequel on peut lire le kondakion de l'hymne acathiste qui lui est attribuée. Sa présence est surtout due au fait qu'il est lui aussi commémoré le 1er octobre. Il en va de même pour saint Ananie, qui baptisa l'apôtre Paul (Ac 9, 10) et est parfois représenté en prêtre ou en évêque.

26.

XXIII

LE SIGNE DE LA TRÈS SAINTE MÈRE DE DIEU
(27 novembre dans l'Église russe)

En slavon : ЗНА́МЕНИЕ ПРЕСВЯ́ТЫЯ ҌОГОРО́ДИЦЫ
Znamenié presvjatyja Bogorodicy

ORIGINE, SOURCES, LITURGIE

L'HISTOIRE

Quand André Bogoljubsky (1157-1175), duc de Souzdal, voulut s'emparer de Novgorod, ses hommes l'emportaient. Alerté, après trois jours et trois nuits de prière, l'archevêque de la ville, Élie, fit porter sur les remparts une icône de la Mère de Dieu en orante avec l'Enfant en médaillon devant sa poitrine. Lors de l'assaut, une des flèches des Souzdaliens atteignit l'icône au visage, qui se tourna vers Novgorod en versant des larmes. La Vierge prenait le parti des assiégés. Ceux-ci firent une sortie tandis qu'une nuée s'abattait sur les assiégeants qui se mirent à tourner leurs armes les uns contre les autres et connurent une déroute totale. Au signe de la Vierge, le sort de Novgorod s'était joué. C'est ce dont témoigne la chronique écrite au XVe siècle par le Serbe Pacôme le Logothète. Bien que survenu un 25 février, l'événement est commémoré le 27 novembre, du fait que la première date tombe toujours en période de jeûne.

Cet épisode de l'histoire russe est relaté par quelques icônes utilisant en général trois registres superposés à lire de haut en bas : l'archevêque Élie et son clergé portent en procession l'icône ; en haut des remparts, au milieu des soldats, celle-ci est criblée des flèches des cavaliers souzdaliens ; les cavaliers de Novgorod font une sortie, précédés par un ange qui combat pour eux les gens de Souzdal dans la plus grande confusion.

LA LITURGIE

L'office de ce jour est basé sur les événements historiques mais, comme il en va d'ailleurs du kondakion de l'hymne acathiste « Invincible chef d'armée », il reste facile d'étendre le sens de « ville de la Mère de Dieu » à tous les croyants qui se mettent sous sa protection, à l'Église ou à soi-même, et de passer des batailles rangées au combat spirituel contre les forces du mal, selon l'exhortation de l'apôtre :

« Rendez-vous puissants dans le Seigneur et dans la vigueur de sa force. Revêtez l'armure de Dieu pour pouvoir résister aux manœuvres du Diable. Car ce n'est pas contre des adversaires de chair et de sang que nous avons à lutter, mais contre les principautés, contre les puissances, contre les régisseurs de ce monde de ténèbres, contre les esprits du mal qui habitent les espaces célestes. » *(Ep 6, 10-12.)*

« Au rempart invincible, oui, très sainte Mère de Dieu, source de prodiges pour tes serviteurs, nous détrônons les armées ennemies. C'est pourquoi nous te prions : donne la paix à ta ville et une grande miséricorde à nos âmes. » *(Tropaire, ton 4.)*

« Tes fidèles fêtent le signe de ta pure image, Mère de Dieu, car tu leur as accordé une victoire remarquable contre les ennemis de ta ville. C'est pourquoi nous témoignons de la foi qu'on peut placer en toi : réjouis-toi, Vierge, les chrétiens te louent. » *(Kondakion, ton 4.)*

LA RELECTURE

Au-delà du prodige lié aux événements de la rivalité entre villes russes, le signe fut réinterprété selon la prophétie d'Isaïe (7, 14) : « Le Seigneur lui-même va vous donner un signe. Voici : la Vierge est enceinte et va enfanter un fils qu'elle appellera Emmanuel. »

Le tropaire suivant reprend l'Ecriture pour chanter :

« Isaïe, réjouis-toi !
La Vierge a conçu et enfanté un fils, Emmanuel,
Dieu et homme à la fois,
Orient est son nom.
En l'exaltant, nous louons la Vierge. »
(Ode 9 des dimanches du ton 5 ; mariages et ordinations.)

Cette nouvelle façon d'envisager le signe ne peut que renvoyer à l'Annonciation.

L'ICONOGRAPHIE

LES ÉLÉMENTS DE LA COMPOSITION

Lorsque à l'Annonciation Marie exprime humblement son adhésion au projet de Dieu, Jésus commence à être formé en elle. Ces deux thèmes sont signifiés iconographiquement ainsi : l'obéissance de la Vierge par l'orante et la conception du Christ par l'Enfant sur son sein.

L'ORANTE

Primitivement expression symbolique de la vertu de « pietà », l'orante que l'on admire en d'antiques maisons romaines ou dans les catacombes a peu à peu revêtu des caractères individuels dans le visage, le vêtement, pour devenir le portrait de telle personne pieuse. Par la suite, on a réservé ce genre de représentation aux images de personnes reconnues saintes, notamment des martyrs. On connaît une fresque de ce type datant du IVe siècle et décorant un arcosolium de la catacombe du Cimetière Majeur qui représente la Vierge Marie orante avec l'Enfant, que le chrisme inscrit des deux côtés désigne sans équivoque. Orante, Marie prie en accueillant le désir de Dieu et le Fils du Père est conçu en tant qu'homme à cet instant. Cette attitude de l'orante est reprise, quoique d'une manière très souple, dans l'ensemble de l'iconographie de l'Annonciation.

L'ENFANT

L'enfant que l'on voit devant la poitrine de sa mère est du type de l'Emmanuel, « Dieu avec nous », avant sa venue au monde. Ses traits sont davantage ceux d'un adulte que d'un enfant. Quant à son geste, il est impérieux, qu'il étende les deux mains pour bénir — comme le font les évêques — ou qu'il ne bénisse que d'une main, serrant de l'autre le rouleau des Écritures qu'il accomplit (Mt 5, 17), Verbe de Dieu qu'il est lui-même (Jn 1, 1-18). Cette allure pleine d'autorité indique le Seigneur et le Verbe de Dieu préexistant.

Généralement, l'Emmanuel se trouve au centre d'un cercle qui a deux fonctions : d'une part manifester, comme une auréole, la divinité de celui qui en est entouré, et, d'autre part, signaler qu'on est en train d'observer, comme par transparence et à travers une sorte d'oculus, l'enfant à venir et encore invisible.

Jésus apparaît dans le sein de Marie afin de montrer le début de l'incarnation de la deuxième personne de la Sainte Trinité dès le moment du « Fiat » de la Vierge. C'est cette même pensée que l'on retrouve sur certaines icônes de l'Annonciation qui, à la suite de celle d'Oustioug, laissent percevoir à travers les vêtements de Marie la forme du corps du Christ trônant dans le sein de sa Mère.

LA PLATYTERA

Ce thème a été abondamment reproduit dans l'Empire de Constantinople, en particulier sur les sceaux et les monnaies, en fresque ou en mosaïque ensuite, particulièrement dans l'abside des églises, après que le Christ, qui y avait d'abord été représenté, eut été peint dans la coupole.

La Vierge apparaît en pied ou en demi-figure, seule ou avec l'Enfant. Même lorsqu'elle est seule, elle est représentée comme Mère de Dieu, ses bras levés suffisant à exprimer la descente en elle de la grâce, dont le fruit est la conception de l'humanité du Sauveur.

Le nom qui a été attribué à ce type iconographique est celui de « Platytera », en grec : 'Η ΠΛΑΤΥΤΕΡΑ ΤῶΝ ΟΥΡΑΝῶΝ *(Hè platytera tôn ouranôn).*

Ce nom désigne « Celle qui est plus vaste que les cieux », car elle contient en son sein celui que l'univers ne peut contenir, le Dieu créateur lui-même. L'expression est tirée de l'hymne à la Mère de Dieu qui est exécutée dans la prière eucharistique de saint Basile :

« En toi se réjouissent, ô Pleine de grâce,
toute la création, la hiérarchie des anges et la race des hommes.
Ô Temple sanctifié, ô Jardin spirituel, ô Gloire virginale,
c'est en toi que Dieu s'est incarné,
en toi qu'est devenu petit enfant
celui qui est notre Dieu avant tous les siècles.
De ton sein il a fait un trône,
il l'a rendu plus vaste que les cieux.
Ô Pleine de grâce, toute la création se réjouit en toi,
gloire à toi. »

LA BLACHERNITISSA

L'une des nombreuses icônes vénérées dans la fameuse église des Blachernes à Constantinople était du type de la Platytera, si bien que l'usage s'établit de nommer la Mère de Dieu orante, avec ou sans l'Emmanuel en médaillon, selon cet adjectif toponymique de « Blachernitissa » ou « Vierge des Blachernes », en grec : ʽH ΒΛΑΧΕΡΝΊΤΙCCΑ *(Hè blachernitissa).*

La Platytera des Blachernes resta la fierté et la force de la capitale de l'empire — ce qui explique qu'elle ait tant été reproduite — jusqu'à l'incendie qui détruisit le sanctuaire en 1433.

On perçoit à présent une nouvelle qualité de cette Vierge orante, qui explique que l'archevêque de Novgorod l'ait placée sur les remparts de sa cité en danger. L'orante lève en effet les bras pour supplier de la façon la plus directe et la plus puissante le Fils de Dieu qui devient son fils, et pour protéger les nécessiteux, les accusés et tous les êtres en détresse. Le patriarche Photius disait au IXᵉ siècle en décrivant une telle représentation que Marie, « pour défendre notre cause, étend ses mains immaculées sur le monde ».

CONCLUSION

Le mystère de Marie a toujours été exprimé dans un contexte christologique, notamment aux conciles d'Éphèse (431) et de Chalcédoine (451). Il n'existe donc pas d'icône représentant la

Vierge en dehors de sa relation au Christ, et sa grandeur se résume entièrement dans sa maternité divine.

Depuis qu'elle a accepté de devenir l'instrument de l'économie divine grâce auquel le Christ s'est manifesté et a réalisé l'union intime de Dieu et des hommes, voir la Mère de Dieu, c'est voir le Verbe incarné et le salut qu'il offre.

La Vierge Marie est devenue le signe, pour reprendre le vocable russe, de la réalité de l'incarnation de Dieu fait homme et donc de la réalité de notre divinisation par les énergies du Saint-Esprit que le Christ envoie d'auprès de Dieu le Père. En levant les mains si vigoureusement au-dessus des hommes, elle intercède pour que chacun accueille la grâce qui fera naître en lui le Seigneur Jésus et connaître le salut, sans qu'il y ait plus besoin d'aucune protection.

En attendant ce moment où « il n'y aura plus de mort, de pleur, de cri ni de peine car l'ancien monde s'en sera allé » (Ap 21, 4), depuis l'Ascension, Marie élève encore les bras avec l'ensemble de l'Église pour accueillir le Seigneur lors de son retour.

XXIV

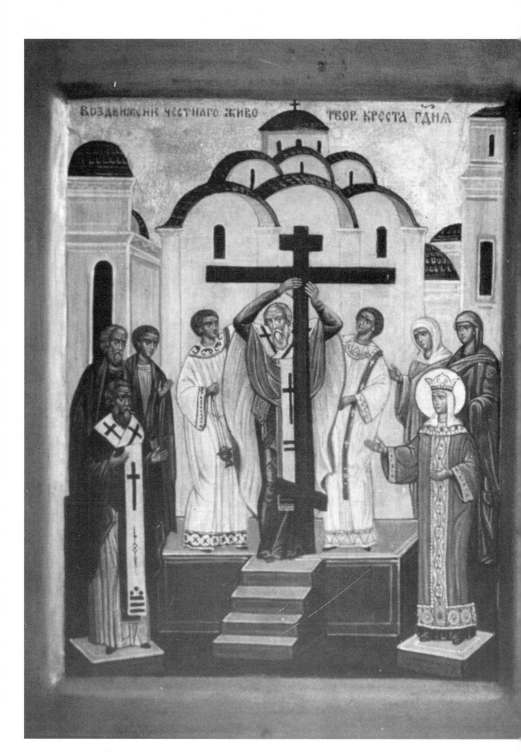

27.

EXALTATION UNIVERSELLE
DE LA VÉNÉRABLE ET VIVIFIANTE CROIX
(14 septembre)

En grec : ‘Η ‘ΎΩWCIC ΤΟῪ ΤΙΜίΟΥ ΚΑὶ ΖWΟΠΟΙΟῪ
CΤΑΥΡΟῪ
Hè hupsôsis tou timiou kai zôopoiou Staurou

En slavon : ВСЕМИРНОЕ ВОЗДВИЖЕНИЕ ЧЕСТНА́ГО И
ЖИВОТВОРЯ́ЩАГО КРЕСТА́
Vsemirnoe vozdviženié čestnago i životvorjaščago
Kresta

ORIGINE, SOURCES, LITURGIE

C'est l'une des douze grandes fêtes, et la seule qui n'ait pas pour origine un événement de la vie du Seigneur ou de la Mère de Dieu.

HISTOIRE ET/OU LÉGENDE

312   La Croix apparaît à Constantin avant la bataille du pont Milvius. Fixée au labarum et aux boucliers, elle amène la défaite de Maxence. L'impératrice Hélène, mère de Constantin, part à Jérusalem pour y rechercher la Croix du Seigneur. L'évêque

Macaire indique le lieu où la Tradition situe le tombeau, recouvert en 135 par les terrassements d'Hadrien. Trois croix sont découvertes dans la crypte actuelle du Saint-Sépulcre (une petite falaise dégagée sur un côté du Golgotha) et l'évêque discerne celle du Seigneur à la guérison d'une mourante.

335   Le 13 septembre, dédicace de la Rotonde de la Résurrection et de la Basilique du Calvaire. On y adore la Croix, particulièrement le Vendredi Saint.

614   Le 4 mai, les Perses mettent Jérusalem à sac et volent le bois de la Croix.

628   Héraclius défait Chosroês. La nouvelle est aussitôt transmise par des feux allumés de colline en colline. Accueilli par le patriarche Zacharie, Héraclius ramène la Croix à Jérusalem. Depuis lors, on célèbre une exaltation de la Croix le 14 septembre, c'est-à-dire au deuxième jour de l'octave de la Dédicace de l'Anastasis, fête qu'elle finit par dépasser.

LA LITURGIE

En ce deuxième jour de la Dédicace de la Basilique de la Résurrection, l'Église commémore donc l'apparition de la Croix du Sauveur à Constantin, suivie de la liberté religieuse et de la défaite des idoles, ainsi que la découverte (l'« invention ») de la Croix par sainte Hélène et sa présentation au monde par l'évêque Macaire.

« Ô Croix, signe lumineux parmi les astres, tu as montré d'avance un trophée de victoire au Roi très pieux ; t'ayant trouvée, sa mère Hélène a fait de toi la parure du monde. » *(Liturgie.)*

Par ailleurs, l'Église chante inlassablement la Croix elle-même en contemplant le Seigneur Jésus-Christ qui, par elle, a tué la mort.

« Salut, Croix précieuse, guide des aveugles, médecin des malades, résurrection de tous les morts, qui nous as tous relevés lorsque nous étions tombés dans la pourriture. C'est par toi qu'il a été mis fin à la corruption et qu'a fleuri l'immortalité ; c'est par toi que, mortels, nous avons été divinisés, et le Diable complètement terrassé. En ce jour où nous te contemplons exaltée par les mains des pontifes, nous exaltons aussi celui qui a été élevé sur toi et nous t'adorons en puisant avec abondance la grande pitié. » *(Aposticle des vêpres.)*

Pour célébrer la Croix, l'Église exploite toutes ses anticipations ou figures de l'Ancien Testament, c'est-à-dire tout ce qui est en bois ou forme une croix. Elle oppose en particulier l'Arbre de la Croix à celui du paradis, comme le Christ au premier Adam, et étend son rôle salvateur à tous les arbres de l'univers, un peu comme l'eau du Jourdain récapitule tout l'élément liquide.

« [...] Celui qui, par le bois, trompa notre premier père Adam est joué par la Croix. Par le Sang divin est neutralisé le venin du serpent [...]. C'est par le bois que le bois devait être guéri, et c'est par la Passion de l'impassible que devaient être soulagées les souffrances de celui qui avait été condamné à cause d'un arbre [...]. » *(Doxasticon du lucernaire.)*

« Que se réjouissent tous les arbres de la forêt dont la nature est sanctifiée, car le Christ, par qui elle fut plantée au commencement, a été étendu sur le bois. » *(9e Ode.)*

L'office est caractérisé par une solennelle élévation de la Croix vers les quatre points cardinaux : c'est par la Croix que le salut est parvenu au monde entier. Nous héritons de ce salut dans la mesure où nous gardons les yeux levés vers elle.

L'ICONOGRAPHIE

L'icône reprend dans une synthèse peut-être déroutante tous les éléments de l'histoire-légende, en invitant le croyant à se joindre lui aussi à tous ceux qui adorent la Croix du Christ élevée par l'évêque.

La scène se passe dans (iconographiquement : devant) une splendide église à coupoles. C'est la Basilique de la Résurrection (Saint-Sépulcre) élevée par Constantin et dont on fête encore la dédicace le 13 septembre.

Du haut de l'ambon, l'évêque de Jérusalem, Macaire, saisit la Croix avec l'aide de deux diacres. Tous trois sont revêtus de leurs ornements liturgiques.

La Croix, vers laquelle tout converge, peut être grande et dressée ou bien petite et reposant même parfois sur un plateau. Saint Macaire la présente à l'adoration du monde en l'élevant au-dessus de sa tête si elle est petite, éventuellement sur un plateau.

Parfois, il y a deux évêques. Celui qui procède à la première exaltation de la Croix est alors le pape de Rome, Sylvestre (ordonné en 314, mort en 335), dont une tradition prétend qu'il est venu à Jérusalem pour cela avec Constantin. L'autre évêque est Macaire. S'il y a plus de deux évêques, ce sont sans doute les Pères du concile de Tyr qu'avait invités Constantin à la dédicace de la Basilique.

Autour de l'ambon, le peuple de Jérusalem est réuni les mains ouvertes pour la prière, rangé par catégories : hommes, femmes, notables, etc. Constantin et Hélène occupent la place d'honneur sur une estrade et sous un dais, fréquemment disposés de part et d'autre de la composition.

XXV

28.

LA DEUXIÈME VENUE
ou
LE JUGEMENT DERNIER
(Dimanche du Carnaval [Apokréo])

En grec	: 'Η ΔΕΥΤΈΡΑ ΠΑΡΟΥΣΊΑ Hè deutera parousia
En slavon	: ВТОРОЕ ПРИШЕ́СТВИЕ Vtorojé prišestvié
ou	: СТРА́ШНЫЙ СУД (le Terrible Jugement) Strašnyj sud

ORIGINE, SOURCES, LITURGIE

Les anges de l'Ascension l'ont bien annoncé : « Ce même Jésus qui vous a été enlevé viendra comme cela, de la même manière dont vous l'avez vu partir vers le ciel. » (Ac 1, 11b.)

L'Église attend donc le retour du Seigneur Jésus. Pour elle, n'est consistant que ce qui peut être résumé en lui et l'histoire entière est conditionnée par son terme, en fonction duquel elle se déploie.

L'ÉCRITURE

La Parousie est loin d'être un thème scripturaire marginal. Dès l'Ancienne Alliance, les prophètes ont annoncé le « Jour du Seigneur », et la première communauté chrétienne vivait dans l'attente du retour immédiat du Christ (1 Th 4, 17), dont le temps passé depuis lors nous rapproche nous-mêmes d'autant.

Parmi les prophètes, notons : Amos 5, 18 ; Michée ; Joël 4, 14-21 ; Isaïe 28, 14 et 34-35 ; Jérémie 4 ; Sophonie 1, 14 ; Ézéchiel 7, 6 ; Zacharie 14, 1-11 ; Daniel 7 ; 8, 17 ; 9, 26 ; 11, 27/35/40 ; 12, 4/9/13.

Dans le Nouveau Testament, voici principalement : Matthieu 24, 25-27, 46 ; Marc 13, 24-27 ; Luc 21, 25-28 ; Actes 3, 20-21 ; 1 Thessaloniciens 4, 13-5, 11 ; 1 Jean 2, 28 ; 4, 17 ; Apocalypse 20-21.

LA LITURGIE

L'Église fait mémoire du retour du Christ à chaque Liturgie eucharistique, lors de l'anamnèse : « Nous souvenant donc de cet ordre du Sauveur et de tout ce qui a été fait pour nous : de la Croix [...], du second et glorieux avènement [...]. » L'Eucharistie nous constitue témoins de la Parousie, déjà ; en la célébrant, nous communions à celui qui vient.

Dans le Symbole de Nicée-Constantinople, les croyants confessent Jésus-Christ « qui reviendra en gloire juger les vivants et les morts, et dont le règne n'aura pas de fin ».

Le troisième dimanche de précarême, dit du Carnaval ou de l'Apokréo car il marque le moment où l'on commence à s'abstenir de manger de la viande, est consacré au Jugement Dernier. Précédé par le dimanche du Pharisien et du Publicain et par celui de l'Enfant prodigue, ce dimanche du Jugement Dernier constitue une préparation énergique au Carême et une exhortation très forte à la conversion.

L'idée de la Parousie et du Jugement imprègne aussi les offices des défunts, particulièrement célébrés aux veilles des dimanches de l'Apokréo et de la Pentecôte, ainsi qu'aux funérailles ou aux anniversaires de décès.

« Lorsque tu viendras en gloire sur la terre, ô Dieu, toute la création tremblera, un fleuve de feu coulera devant le tribunal, les livres seront ouverts et les secrets manifestés ; délivre-moi alors du feu qui ne s'éteint pas et rends-moi digne de me tenir à ta droite, ô très équitable Juge. » *(Kondakion du dimanche de l'Apokréo.)*

« Connaissant les préceptes du Seigneur, efforçons-nous d'y conformer nos actions : aux pauvres donnons de quoi manger, donnons à boire à ceux qui ont soif, revêtons ceux qui n'ont pas de vêtement, accueillons chez nous les étrangers, visitons les malades et les prisonniers pour que nous dise, à nous aussi, celui qui jugera le monde entier : "Venez, les bénis de mon Père, et recevez en héritage le Royaume qui vous est préparé." » *(Liturgie aux vêpres de l'Apokréo.)*

« Déjà s'approche le jour, devant ta porte se tient le Jugement ; ô mon âme, réveille-toi, car en ce jour les princes et les rois, les riches et les pauvres se rassembleront et tout homme recevra ce que méritent ses actions. » *(Ode 4 du dimanche de l'Apokréo.)*

« Lorsque j'entends le mauvais riche se lamenter dans le feu du châtiment, je pleure et me lamente, moi aussi, car je mérite la même condamnation, et je te prie, Dieu sauveur ; à l'heure du châtiment, aie pitié de moi. » *(Ode 4 du dimanche de l'Apokréo.)*

« Moïse trembla d'effroi lorsqu'il te vit passer de dos ; et moi, malheureux, comment pourrai-je supporter de voir ta face directement, lorsque tu viendras du ciel ? Mais épargne-moi, Dieu de bonté, d'un œil favorable regarde-moi. » *(Ode 9 du dimanche de l'Apokréo.)*

« Frères, purifions-nous par la pénitence, reine des vertus ; voici qu'elle nous procure toutes sortes de biens, elle panse les blessures des passions, avec le Maître elle réconcilie les pécheurs ; aussi, l'embrassant avec joie, crions au Christ notre Dieu : Ressuscité d'entre les morts, garde-nous libres de condamnation, nous qui te glorifions comme le seul sans péché. » *(Laudes du dimanche de l'Apokréo.)*

« [...] Pourquoi cette adhérence à la terre, puisque nous en sortons ? Si nous ne sommes plus qu'un être avec le Christ, pourquoi ne pas bondir au-devant de lui, délaissant les choses éphémères pour la vie immortelle ? Car notre vie, c'est le Christ, illumination de nos âmes. » *(Laudes de la veille de l'Apokréo.)*

« Ô Christ, par ta Résurrection d'entre les morts, la mort n'a plus d'empire sur les fidèles défunts ; c'est pourquoi nous te prions instamment d'accorder à tes serviteurs le repos dans les parvis de Dieu et dans le sein d'Abraham, à tous tes serviteurs, depuis Adam jusqu'à ce jour, qui t'ont servi en t'adorant d'un cœur pur, nos pères et nos frères, nos parents, nos amis, tout homme qui a rempli fidèlement son devoir, tous ceux que tu rappelles à toi de diverses façons : Seigneur, juge-les dignes de ton royaume dans les cieux. » *(Lucernaire de la veille de l'Apokréo.)*

L'ICONOGRAPHIE

Parmi les premières représentations du Jugement Dernier, on voit à Saint-Apollaire-le-Neuf de Ravenne une mosaïque illustrant Matthieu 25 : un Christ imberbe, assis sur un rocher et assisté de deux anges, sépare les brebis des boucs.

La Parousie de l'église romaine de Sainte-Pudentienne revêt beaucoup plus d'intérêt. Cette mosaïque absidiale du Ve siècle montre un Christ triomphant auquel deux Victoires tendent des couronnes de laurier. Les apôtres sont rangés en exèdre de chaque côté du Seigneur comme dans les scènes d'enseignement. Au fond, la ville de Jérusalem évoque la Jérusalem d'en-haut. Derrière le Christ se dresse comme un trophée de victoire sa Croix. Les quatre Vivants remplissent le ciel.

Au VIe siècle, l'illustration d'un passage de la *Topographie chrétienne* de Cosmas Indicopleustès (liv. V, 247) représente aussi le Jugement Dernier, mais ordonné selon sa cosmographie. Au sommet, dans un espace arrondi en haut comme une abside, le Christ trône en majesté à l'intérieur d'une mandorle. Il prononce les paroles de Matthieu (25, 34) inscrites de chaque côté : « Venez, les bénis de mon Père... » Sous le Christ, un rectangle renferme la catégorie des anges. Le rectangle inférieur contient les hommes qui sont sur la surface de la terre. Le dernier rectangle, très étroit, montre la tête et les épaules des morts de dessous la terre ressuscitant. Ce schéma emprunté à une iconographie de l'univers convient bien à l'universalité d'un Jugement Dernier.

Cette façon de superposer les images provient de l'art triomphal romain de la fin de l'Antiquité. La colonne d'Arcadius, à Constantinople même, en est un bon exemple.

Apparu au XIe siècle, le Jugement Dernier byzantin consiste en une sorte de rapprochement original d'éléments iconographiques antérieurs, organisés en images superposées selon un axe vertical, et indépendamment de toute notion spatio-temporelle naturaliste. Les scènes d'avant ou d'après le Jugement, par exemple, ne respectent pas l'ordre chronologique, et l'arrangement de l'espace ne correspond pas, en soi, à grand-chose. En fait, tout est disposé selon des catégories morales : le haut et le bas, la droite et la gauche.

Les premières compositions de ce nouveau type figurent sur le manuscrit Paris-grec 74, où sont rassemblés beaucoup de détails ; sur le manuscrit grec 752 du Vatican, qui est le premier à porter l'inscription « La Deuxième Venue » ; sur deux icônes du monastère Sainte-Catherine du Sinaï enfin.

La structure et les éléments principaux de ces images sont désormais stables. Mais selon les époques, les pays et les courants spirituels, les représentations en ont été enrichies par de nombreux éléments surtout eschatologiques, en particulier en Russie.

LES ÉLÉMENTS DE LA COMPOSITION

1. La Parousie

Le Fils de l'homme. Dans une auréole ronde, les vêtements étincelants, le Fils de l'homme apparaît assis « sur les nuées du ciel avec puissance et grande gloire » (Dn 7, 13a ; Mt 24, 30), flanqué de chérubins, et « son avènement est comme l'éclair qui part du couchant et brille jusqu'à l'occident » (Mt 24, 27). Des rayons de lumière émanent de son corps et toute l'attention est attirée vers sa manifestation, représentée sur le mode de la vision, comme l'Ascension.

La cour du Roi-Juge l'entoure : la garde angélique, les apôtres, la Mère de Dieu et Jean le Précurseur.

La garde angélique. Matthieu (25, 31) dit que le Fils de l'homme viendra « escorté de tous les anges ». Cette garde se masse, comme sur les monuments de la fin de l'Antiquité, derrière le Seigneur, et s'aligne derrière les apôtres.

Les apôtres. Ils vont participer au jugement, tels des assesseurs, et siègent de chaque côté du Christ sur des trônes ou des bancs ornés. Jésus leur avait dit : « Quand le Fils de l'homme siégera sur son trône de gloire, vous siégerez vous aussi sur douze trônes pour juger les douze tribus d'Israël. » (Mt 19, 28 ; Lc 22, 30.) Ils sont assis, comme sur une icône de la Pentecôte, selon la courbe d'une exèdre, munis des livres ou rouleaux évoquant l'enseignement qu'ils ont dispensé. Les noms des douze sont souvent inscrits, mais on reconnaît toujours Pierre et Paul à la droite et à la gauche du Seigneur.

La déisis. Requête faite en justice, tel est le sens du mot *déisis.* Au IXe siècle, un fonctionnaire nommé *ho epi tôn déèséôn* était chargé de présenter à l'empereur les pétitions des gens. Ainsi la Vierge Marie et le Précurseur présentent-ils au Seigneur les demandes des fidèles.

Ch. Walter note que des dessins représentant un tribunal en coupe montraient un espace libre entre le siège du président et les banquettes des autres juges. C'est là qu'on se tenait pour prendre la parole, et c'est aussi là, entre le Christ et les apôtres, que se tiennent la Vierge et Jean-Baptiste.

Voilà qu'accentue le caractère juridique de la composition cette création byzantine née au VIIe siècle et appartenant à l'iconostase.

2. L'Ancien

Les Russes surtout enrichissent la scène de la vision de la Parousie du Christ en la faisant précéder et dominer par une évocation de la vision du prophète Daniel (7, 9-14) : des trônes sont disposés et un Ancien aux vêtements blancs s'assied. Le tribunal est en place, les livres sont ouverts. Comme un Fils d'homme, venu sur les nuées du ciel, s'avance jusqu'à l'Ancien. On lui confère un empire éternel et tous les peuples le servent.

On voit donc régulièrement le Christ dans une mandorle s'approcher d'une sphère brillante où l'attend le Père-Ancien et une place vide — la sienne — qu'on le voit occuper dans la sphère suivante. Une colombe complète cette formule trinitaire, ouverte à une participation humaine : « Le vainqueur, je lui donnerai de siéger avec moi sur mon trône, comme moi-même, après ma victoire, j'ai siégé avec mon Père sur son trône. » (Ap 3, 21.)

L'Ancien a aussi été peint dans la fameuse fresque roumaine de Voronet. Il y apparaît derrière les portes du ciel qu'ouvrent des anges à travers le zodiaque, en buste, dans une auréole encerclée de flammes qui donnent naissance au fleuve de feu (Dn 7, 10) resurgissant sous les pieds du Christ.

3. La chute des anges

Les icônes russes représentent encore souvent dans la partie supérieure de la composition la chute des anges qui ont péché et qui, devenus ténébreux (cf. Mt 6, 23b) du fait de leur privation de la lumière divine, sont précipités dans l'abîme par la lance des anges fidèles (2 P 2, 4 et Jude 6).

Cette scène se situe du côté droit de la composition, c'est-à-dire à la gauche du Christ : au terme de leur chute, les anges rebelles tomberont dans l'étang de feu.

Le désordre du péché a été introduit dans l'univers par cette révolte, « et par le péché la mort » (Rm 5, 12), le « dernier ennemi » (1 C 15, 26) que la Parousie du Seigneur fait justement disparaître.

4. La fin des temps

Le ciel enroulé. À l'arrivée du « grand jour de la colère de l'Agneau » (Ap 6, 17), « le ciel disparut comme un livre qu'on roule » (Ap 6, 14 ; Is 34, 4). Aussi voit-on un ou plusieurs anges rouler en un geste souvent fort élégant comme un livre antique orné d'astres, avec un soleil obscurci et la lune parfois « changée en sang » (Ap 6, 12).

Ce motif peut être disposé par les artistes russes comme un bandeau ornant la partie supérieure de la composition dans toute sa largeur. C'est aussi le cas à Voronet.

Le cours du temps est donc arrêté, l'histoire est à son terme, et la lumière qui émane du Seigneur suffit désormais à tout illuminer (cf. Ap 21, 23).

La Résurrection. La résurrection des morts marque le retour du Christ et le Jugement (1 Th 4, 16). À Torcello (près de Venise), c'est la Descente aux enfers elle-même qui domine de façon monumentale autant qu'exceptionnelle toute la composition.

La résurrection des morts apparaît du côté droit de l'image, généralement juste au-dessus de l'enfer. On voit d'abord une forme ronde bleue ou verte : la mer, souvent personnifiée sous les traits d'une femme chevauchant des monstres marins et sortant de l'eau un navire pour en rendre les marins noyés.

Au centre, à côté ou même en face de la mer, voici la terre. Elle aussi est personnifiée par une figure féminine couchée ou assise sur un monticule. Les morts sortent des tombeaux et les animaux sauvages les plus divers comme les poissons vomissent les membres des humains qu'ils avaient dévorés : « La mer rendit les morts qu'elle gardait, la Mort et l'Hadès rendirent les morts qu'ils gardaient, et chacun fut jugé selon ses œuvres. » (Ap 20, 13.)

« Des quatre coins de l'univers rassemble, Seigneur, tous les fidèles qui sont morts sur terre, dans la mer ou les torrents, dans les cascades, les citernes et les étangs et sont devenus la proie des fauves, des reptiles et des oiseaux. » *(Ode 2 de la veille de l'Apokréo.)*

Les anges du Jugement dernier. Volant à travers tout cet univers dépeint en miniature, les anges (1 Th 4, 16) sont maintenant envoyés par le Seigneur « avec une trompette sonore [le shofar d'Isaïe 27, 13] pour rassembler ses élus des quatre vents » (Mt 24, 31), « de l'extrémité de la terre à l'extrémité du ciel » (Mc 13, 27).

La vision de Daniel. Parmi les scènes eschatologiques cultivées par les Russes, il y a celle où un ange montre en songe au prophète Daniel, prostré, tant cette vision l'impressionne (Dn 7, 28), quatre bêtes terribles apparentées au lion, à l'ours et au léopard, la quatrième étant un monstre innommable dont l'une des dix cornes « a des yeux d'homme et une bouche qui dit de grandes choses » (Dn 7, 1-8/11-12/17-28 ; Ap 13).

Ces bêtes sont quatre rois. On les interprète comme représentant : le lion la Perse, l'ours Babylone, le léopard la Macédoine, la bête aux cornes l'Empire romain. Dans le psautier de Smolensk (du XIVᵉ s.), le lion représente le roi de Rome, l'ours le roi de Babylone, le léopard le roi de Macédoine, et la bête à cornes l'Antéchrist.

Ces fauves sont souvent contenus à l'intérieur d'une ou de quatre sphères, non loin de l'enfer, tandis que Daniel et l'ange se tiennent de l'autre côté de la composition, à proximité du Paradis. Au monastère athonite de Vatopédi, les monstres sont disposés sur la mer.

5. L'hétimasie du trône

Au centre de la composition, sous le Fils de l'homme venant en sa gloire, un trône recouvert de l'himation (manteau) du Christ sur lequel est posé un livre ouvert ou fermé avec la croix et les instruments de la Passion, notamment la lance et l'éponge au bout d'une baguette. Il s'agit de l'hétimasie *(hetoimasia)* du trône, c'est-à-dire de sa préparation en vue de l'intronisation du Seigneur.

« Alors apparaîtra dans le ciel le signe du Fils de l'homme » (Mt 24, 30) que les Pères interprètent comme étant la Croix, et « quand le Fils de l'homme viendra dans sa gloire, [...] alors il prendra place sur son trône de gloire » (Mt 25, 31).

Cette représentation ressemble à la théophanie de l'Évangile intronisé (cf. la Pentecôte) mais Ch. Walter la rapproche plutôt d'un trophée militaire analogue à ce qu'on peut voir sur les reliefs d'Arcadius. La Croix est le signe de la victoire du Christ. L'origine de l'hétimasie de la Parousie se trouverait d'ailleurs dans une cérémonie de vénération à la cour impériale des instruments de la Passion.

Il est donc normal de voir Adam et Ève, qui récapitulent l'ensemble de l'humanité sauvée par la mort du Sauveur, se prosterner devant la Croix posée sur le trône pour l'adorer.

Par ailleurs, l'hétimasie est rattachée au Jugement, en vue duquel revient le Christ : « Le Seigneur affermit son trône pour le Jugement » (Ps 9, 8) auquel nous fait assister Matthieu (25, 31-46).

C'est ainsi que les anges chargés de veiller sur le trône déploient fréquemment un cartouche portant les sentences du Juge ; à gauche (à droite du Christ) : « Venez, les bénis de mon Père, recevez en héritage le Royaume qui vous a été préparé depuis la fondation du monde » (Mt 25, 34) ; à droite (à gauche du Juge) : « Allez loin de moi, maudits, dans le feu éternel qui a été préparé pour le Diable et ses anges » (Mt 25, 41).

On peut aussi lire, respectivement à gauche et à droite : « Alors les morts furent jugés d'après le contenu des livres, chacun selon ses œuvres » (Ap 20, 12c), et : « Celui qui ne se trouve pas inscrit dans le livre de vie, qu'on le jette dans l'étang de feu » (Ap 20, 15). Ce dernier texte contribue à faire interpréter le livre posé sur le trône comme le livre de vie plutôt que comme l'Évangile.

6. Le Jugement

Les hommes rassemblés. Sous les apôtres, de chaque côté de l'hétimasie, les ressuscités — repentants à la vue du signe du Fils de l'homme (cf. Mt 24, 30) — sont réunis selon la vision de l'Apocalypse : « Je vis les morts, grands et petits, debout devant le trône ; on ouvrit des livres, puis un autre livre, celui de la vie ; alors les morts furent jugés d'après le contenu des livres, chacun selon ses œuvres. » (Ap 20, 12.)

Le livre de vie contient les noms des élus, et les autres livres toutes les actions bonnes ou mauvaises de tous les hommes.

La balance de justice. Le Jugement lui-même est représenté par la pesée des âmes, qui provient du « Livre des morts » égyptien, où l'on voit évalué le cœur humain placé sur le plateau d'une balance d'après un symbole de la justice placé sur l'autre plateau. C'est cette image que Daniel déchiffre pour le roi Balthazar : « Tu as été pesé dans la balance et ton poids se trouve en défaut. » (Dn 5, 27.)

Un ange tient donc une balance — à moins que ce ne soit un poignet gigantesque apparaissant sous l'escabeau du trône — entourée de nuages ou simplement d'une demi-sphère céleste, et désignant la justice de Dieu.

Dans le plateau de gauche (à la droite du Juge), sont placés les rouleaux où ont été inscrites les bonnes actions, et dans l'autre les rouleaux où sont marquées les mauvaises. Des démons tentent d'alourdir ce plateau droit de la balance en y jetant des paquets de rouleaux que d'autres diables transportent sur leur dos, et en se suspendant à ce plateau à l'aide de bâtons recourbés. Les anges préposés à la pesée interviennent depuis le côté opposé en piquant les démons de leur longue lance. Heureusement, sur toutes les représentations, le fléau de la balance tend à s'incliner du bon côté. Pourtant,

> « ... un souffle seulement, les fils d'Adam,
> un mensonge, les fils d'homme ;
> sur la balance s'ils montaient ensemble
> ils seraient moins qu'un souffle [...].
> Toi, tu paies l'homme selon ses œuvres. »
>
> (Ps 62 [61], 10, 13.)

Entre les deux plateaux, un personnage nu : l'âme dont on pèse les actions. Les justes sont invités à s'associer aux chœurs des saints et à entrer au Paradis, tandis que les réprouvés sont emportés par un fleuve de feu.

7. À la droite du Juge

Les justes. On l'a déjà remarqué, tout l'espace situé sous les apôtres est divisé verticalement en deux, selon Matthieu (25, 33) : « Il placera les brebis à sa droite et les boucs à sa gauche. »

En regardant de plus près les ressuscités réunis dans la rangée située immédiatement sous les apôtres, on s'aperçoit donc qu'ils sont déjà groupés suivant le résultat du Jugement.

« Voici la multitude des justes qui chantent le Sauveur et le supplient de sauver tous ceux qu'à ce monde il a pris. » *(Ode 5 du samedi avant la Pentecôte.)*

Parfois nimbés, ils sont répartis en chœurs ou catégories distinctes qui s'unissent unanimement à la déisis.

« Apôtres, martyrs, prophètes, pontifes, ascètes, justes, et vous, saintes femmes, vous tous qui avez combattu le bon combat et gardé la foi, de par le crédit dont vous jouissez auprès du Seigneur, demandez-lui pour nous — nous vous en supplions — de sauver nos âmes dans sa bonté. » *(Tropaire du samedi.)*

Le cortège des saints. Du même côté de la composition mais en bas, les justes forment un cortège qui se présente à la porte du Paradis, gardée par un chérubin (Gn 3, 24). En tête, l'apôtre Pierre ouvre la porte du Royaume des cieux à l'aide des clés que lui a attribuées le Christ (Mt 16, 19), tandis que saint Paul exhorte les élus à y pénétrer. Il déploie un cartouche dont le texte pourrait être : « Pour nous, notre cité se trouve dans les cieux, d'où nous attendons ardemment, comme sauveur, le Seigneur Jésus-Christ, qui transfigurera notre corps de misère pour le conformer à son corps de gloire. » (Ph 3, 20.)

Quand saint Paul est représenté à la rangée supérieure, celle des chœurs des élus, on peut lui faire proférer : « Dieu jugera le comportement caché des hommes par Jésus-Christ » (Rm 2, 16), ou simplement : « Venez, les bénis de mon Père [...] » (Mt 25, 34).

Des anges descendent en volant vers cette procession et distribuent des couronnes (Jc 1, 12 ; 1 P 5, 4 ; Ap 2, 10).

Le Paradis. Le Paradis est un jardin lumineux et paisible, protégé par un grand mur et égayé par des arbustes stylisés. La Mère de Dieu y trône, les paumes des mains ouvertes devant la poitrine, et des anges la vénèrent. C'est par celui qui a pris chair d'elle que le paradis a été rouvert à la race d'Adam.

Siègent aussi là les patriarches Abraham, Isaac et Jacob (Mt 22, 32 ; Mc 12, 26 ; Lc 20, 37). Les bras écartés, ils tiennent contre eux dans un linge les âmes des justes. Dans la parabole, Jésus ne dit-il pas de l'âme de Lazare qu'elle « fut emportée par les anges dans le sein d'Abraham » (Lc 16, 22) ? Aussi bien peut-on ne voir siéger qu'Abraham tenant l'âme du pauvre Lazare contre lui. Éventuellement, on peut encore apercevoir derrière les patriarches des groupes de petits enfants, les âmes indifférenciées des saints.

Voici encore Dysmas, le bon larron, déjà au paradis depuis le soir de sa crucifixion au côté du Sauveur (Lc 23, 43). La Liturgie le situe à l'opposé de Judas et l'érige en modèle. « C'est la confession de sa culpabilité, sa prise de position et sa foi en Jésus qui, considérées dans leur ensemble, en font le type du chrétien », écrit J. Lépine.

« Le bon larron sur la croix ne proféra qu'une brève parole, mais il trouva une grande foi et fut sauvé tout à coup : il fut le premier à ouvrir les portes du Paradis et à y entrer [...]. Crucifié avec le Créateur, il confessa le Dieu caché en s'écriant : "Souviens-toi de moi dans ton Royaume." » *(Antienne 14 et premier tropaire des Béatitudes aux matines du grand Vendredi.)*

La Jérusalem céleste. L'iconographie russe aime à dépeindre, tout en haut de la composition et toujours à gauche, des architectures évoquant la Jérusalem céleste décrite au chapitre XXI de l'Apocalypse. Les élus y sont montrés, de nouveau répartis en chœurs suivant la catégorie de saints à laquelle ils appartiennent, festoyant (Mt 22, 2 ; Lc 14, 15) dans les nombreuses demeures de la maison du Père (Jn 14, 2).

L'ascension des ascètes. Les Russes aiment encore à montrer, sur toute la hauteur de la bordure gauche de l'icône, une scène qui est le pendant de la chute des anges sur la bordure droite : l'ascension des saints moines vers la Jérusalem d'en-haut. L'ascèse et la prière leur ont fait remporter la victoire dans les combats spirituels. Devenus ainsi semblables aux anges, les voilà qui portent des ailes comme Jean le Précurseur, et qui s'élèvent vers le ciel en dignes émules de leur père, le prophète Élie.

8. À la gauche du Juge

Les réprouvés. Sous le banc des apôtres, du côté droit de la représentation et parallèlement aux chœurs des élus, les réprouvés sont eux aussi groupés, non suivant leur état de vie ou leur ministère comme les justes, mais suivant leur appartenance à une quelconque nation réputée hostile à la foi chrétienne.

On trouve donc généralement en premier lieu un groupe de Juifs, reconnaissables au bonnet pointu dont on les coiffait au Moyen Âge.

Devant eux, Moïse leur montre le Christ tout en se retournant pour les apostropher : « Voilà celui que vous avez crucifié. » À moins que son cartouche ne porte les mots suivants, du moins en partie : « C'est un prophète comme moi que le Seigneur ton Dieu te suscitera du milieu de toi, d'entre tes frères ; c'est lui que vous écouterez [...]. Si quelqu'un n'écoute pas mes paroles, que le prophète aura dites en mon nom, alors moi-même je lui en demanderai compte. » (Dt 18, 15 et 18-19.) Conformément au judaïsme tardif qui voyait dans ce texte l'annonce d'un prophète exceptionnel parfois identifié avec le Messie, la première prédication chrétienne a explicitement reconnu en Jésus l'objet de cette prophétie (Ac 3, 22 ; 7, 37).

À la parole de Moïse, le groupe des Juifs adopte l'attitude inspirée par Zacharie : « Celui qu'ils ont transpercé, ils se lamenteront sur lui comme on se lamente sur un fils unique. » (Za 12, 10b. Cf. Ap 1, 7.)

Comme autres groupes d'infidèles, on rencontre Turcs, Tatars, « hérétiques » occidentaux...

Le fleuve de feu. À l'issue de la pesée des âmes, ceux qui n'ont pas été justifiés ont été jetés dans le fleuve de feu contemplé par Daniel (7, 10) et qui provient de devant le trône de l'Ancien. Dans le psaume 50 (49), 3, où l'on voit Dieu venir juger Israël, on note que « devant lui, un feu dévore ». De même, un feu descendu du ciel dévore les nations qui ont investi la cité bien-aimée des saints (Ap 20, 9).

L'étang de feu. Le fleuve de feu emporte les réprouvés dans l'étang de feu qui signifie la seconde mort (Ap 20, 14). Un ange les y enfonce de sa lance. À leur costume, on reconnaît des évêques, des rois, des moines. Parfois, des hérésiarques ou des persécuteurs de l'Église sont représentés nommément, tels Dioclétien ou Arius.

Au centre de l'étang de feu, un horrible monstre à deux têtes dévore les condamnés. Il est souvent enchaîné comme le dragon de l'Apocalypse (20, 2). Entre les deux têtes de ce Léviathan (Jb 41, 23) trône un sombre individu (Lc 22, 53) : Satan. Comme Abraham, à l'opposé duquel il se trouve sur l'icône, porte Lazare, Satan tient sur ses genoux un damné : le mauvais riche de la parabole (Lc 16, 19-31). On estime souvent qu'il s'agit de Judas qui trahit Jésus.

Le serpent. Les peintres russes dépeignent encore un énorme serpent qui sort de la gueule du monstre pour remonter en rampant tout le centre de la composition, jusqu'à Adam dont il cherche à piquer le talon : « Tu marcheras sur le ventre [...]. Je mettrai une hostilité entre ton lignage et [celui de la femme]. Il t'écrasera la tête et tu l'atteindras au talon. » (Gn 3, 14-15.) La prophétie vise le nouvel Adam, Jésus-Christ, dont la croix guérit la blessure infligée à l'humanité par le Malin.

Tout au long du corps du reptile, des sortes de nœuds ou d'anneaux se suivent à intervalles réguliers, sous lesquels ou dans chacun desquels on découvre un démon.

Les supplices de l'enfer. Tout en bas de cette partie de l'image, différents rectangles montrent les supplices auxquels sont à jamais soumis les damnés, selon leurs vices : les grincements de dents (Mt 24, 51), le ver qui ronge sans répit (Mc 9, 48), toutes sortes de pendaisons, les serpents, le feu inextinguible (Mc 9, 48), le Tartare (2 P 2, 4), les ténèbres extérieures (Mt 22, 13), etc.

9. En outre...

L'indécis. Au centre et en bas, entre le cortège des saints entrant au Paradis et l'enfer, un jeune homme nu est lié à une colonne. À proximité, un ange fait souvent la leçon à un moine en lui expliquant le malheur de l'âme indécise et tiède dont les bonnes actions empêchent la condamnation à l'enfer, mais que ses fautes privent tout de même du Paradis où il voit entrer les élus.

La mort. Le Jugement Dernier est l'occasion d'une méditation sur la mort du pécheur et celle du juste. Représentée comme un petit bébé qui sort de la bouche du juste alors qu'il expire, son âme est recueillie par un ange tandis que le roi David joue de son instrument. L'âme du pécheur est saisie par un démon.

On peut aussi voir un groupe de moines se pencher sur un squelette gisant dans un tombeau ouvert. Tous les pères spirituels conseillent de garder constamment à l'esprit l'idée de sa mort prochaine afin de ne pouvoir être surpris par sa venue. Le « souvenir de la mort » est l'une des bases de la vie spirituelle. « Tenez-vous prêts, vous aussi, car c'est à l'heure que vous ne pensez pas que le Fils de l'homme viendra », dit le Seigneur (Mt 24, 44).

« Vous qui êtes accrochés à la vie, venez, penchez-vous dans les tombeaux, voyez comme le monde est vanité : où est maintenant la corporelle beauté ? Où est de la richesse l'éclat ? Où est l'orgueil de la vie ? [...]. » *(Laudes des matines de la veille de la Pentecôte.)*

L'échelle des vertus. Une représentation de l'échelle des vertus de Jean Climaque existe parfois. Une échelle est dressée entre terre et ciel, que des moines escaladent, aidés d'un côté par les anges, agrippés de l'autre par les crochets des démons. Bienheureux celui qui atteint le Paradis, malheureux celui qui lâche prise : la gueule de Léviathan se referme sur lui.

LA PAROUSIE DANS LES PROGRAMMES ICONOGRAPHIQUES

Dans une église, la Deuxième Venue du Christ décore soit le fond de la nef, soit plutôt le narthex. La représentation en était primitivement énorme, et il fallait en dissocier les éléments pour les faire tenir sur plusieurs surfaces proches. À partir du XIVe siècle, les proportions des différents tableaux évoluant, un seul mur suffit à cette fresque.

On trouve aussi la Parousie dans les chapelles funéraires, ce qui est naturel, à moins qu'on se contente d'en représenter comme le cœur, la déisis, afin que la Mère de Dieu et le Précurseur intercèdent pour le salut des défunts qu'on y dépose.

Le Jugement Dernier peut aussi revêtir une signification eucharistique, si l'on met en rapport la réception de l'Eucharistie avec la jouissance paradisiaque, comme le fait Nicolas Cabasilas, ou avec le châtiment qui guette celui qui en use indignement (1 C 11, 27-34). Il arrive donc qu'on le rencontre dans l'abside de la prothèse ou du diaconicon, comme on voit la déisis dominer les portes saintes de l'autel.

L'hétimasie du trône, elle, figure régulièrement dans l'abside centrale pour exprimer l'attente de la Parousie du Seigneur.

SIGNIFICATION DE LA REPRÉSENTATION DE LA PAROUSIE

Cette image grandiose au symbolisme triomphal, qui comporte des aspects impressionnants, nous place devant de décisives réalités, anticipées sacramentellement dans la Liturgie eucharistique :

Le Seigneur Jésus reviendra dans la gloire, et son retour marquera la fin des temps, quel qu'en soit le mode effectif ;

Un Jugement aura lieu, qui affirme la liberté et la responsabilité humaines. Tous y seront soumis, et la justice véritable sera instaurée : un nouvel ordre des choses selon Dieu, Créateur et Sauveur ;

Les saints seront parfaitement unis au Christ, Tête d'un Corps enfin arrivé à maturité (Ep 1, 22-23), et ils participeront en lui à la vie divine (2 P 1, 4). Quant à l'enfer, la nature réelle des souffrances qu'on y endure n'est pas en cause ; ses représentations proviennent plutôt d'une formule pédagogique visant à faire éprouver la crainte pour faire pratiquer la sagesse (Ps 110 [111], 10 ; Pr 1, 7).

De même que le livre de l'Apocalypse (mot qui signifie « révélation » et non « catastrophe ») qui l'inspire notablement, l'iconographie de la Parousie constitue un message d'espérance et de délivrance :

« Oui, mon retour est proche !
— Oh ! oui, viens, Seigneur Jésus ! »

(Ap 22, 20.)

ÉCRITURE SLAVONNE
DU NOM DES ICÔNES

BIBLIOGRAPHIE

ALPATOV M., *Histoire de l'art russe des origines à la fin du XVIIᵉ siècle,* Flammarion, Paris, 1975.

ANTONOVA V.I., et MNEVA N.E., *Katalog Drevnerusskoj Živopisi,* Gosudarstvennaja Tret' jakovskaja Gallereja, Moscou, 1963.

BERGER M., « Les peintures de l'abside de S. Stefano à Soleto », in *Mélanges de l'école française de Rome,* t. XCIV, 1982, I.

CABIE R., *La Pentecôte. L'évolution de la cinquantaine pascale au cours des cinq premiers siècles,* Desclée de Brouwer, Tournai, 1965.

CERBELAUD D., « L'évolution de la Légende d'Abgar », in *Contacts,* n° 122, Paris, 1983.

CHAMPEAUX G. de, et STERCKX S., *Introduction au monde des symboles,* Zodiaque, La Pierre-qui-Vire, 1972.

COSMAS INDICOPLEUSTÈS, *Topographie chrétienne,* liv. V et VI, traduits et présentés par W. WOLSKA-CONUS, *Sources chrétiennes,* nᵒˢ 159 et 197, Cerf, 1970 et 1973.

DANIEL-ROPS et AMIOT F., *Évangiles apocryphes,* Cerf-Fayard, Paris, 1975.

DEJAIFVE E., *Les icônes,* Chevetogne, 1962.

DESEILLE P., Article « Gloire » du *Dictionnaire de spiritualité,* t. VI, Beauchesne, Paris, 1967.

DIDRON M., *Manuel d'iconographie chrétienne grecque et latine, traduit du manuscrit byzantin « Le guide de la peinture » de Denys, moine de Fourna d'Agrapha,* Paris, 1845.

DROBOT G., *Icône de la Nativité,* Bellefontaine, 1975.

DUFRENNE S., *L'illustration des psautiers grecs du Moyen Âge,* Klincksieck, Paris, 1966 ;

— *Les programmes iconographiques des églises byzantines de Mistra,* Klincksieck, Paris, 1970.

EVDOKIMOV P., *L'art de l'icône, théologie de la beauté,* DDB, Paris, 1972.

FERAUDY R. de, *L'icône de la Transfiguration,* Bellefontaine, 1978.

GERKE F., *La fin de l'art antique et les débuts de l'art chrétien,* Albin Michel, Paris, 1973.

GORAINOFF I., *Séraphim de Sarov,* DDB, Paris, 1979.

GRABAR A., *Les voies de la création en iconographie chrétienne,* Flammarion, Paris, 1979 ;

— *Les ampoules de Terre sainte,* Klincksieck, Paris, 1958.

HEIJDEN J.-B. Van der, *L'église orientale de Chevetogne,* Chevetogne, 1962.

JEAN DAMASCÈNE, saint, « Homélies sur la Nativité et la Dormition », trad. et notes par P. VOULET, *Sources chrétiennes,* n° 80, Cerf, Paris, 1961.

JOLIVET-LÉVY C., « Le riche décor peint de Tokali Kilise à Göreme », article des *Dossiers de l'archéologie,* n° 63, mai 1982.

KONTOGLOU Ph., *Ekphrasis tès Orthodoxou Eikonographias,* Astèr, Athènes, 1978.

LABRECQUE-PERVOUCHINE N., *L'iconostase : une évolution historique en Russie,* Bellarmin, Montréal, 1982.

LAZAREV V.N., *Moscow School of Icon-painting,* Iskusstvo, Moscou, 1980 ;

— *Novgorodian Icon-painting,* Iskusstvo, Moscou, 1976.

LAZOVIĆ M., *Icônes d'une collection privée,* Musée d'Art et d'Histoire, Genève, 1974.

LEDIT J., *Marie dans la liturgie de Byzance,* Beauchesne, Paris, 1976.

OUSPENSKY L., *Théologie de l'icône dans l'Église orthodoxe,* Cerf, Paris, 1980 ;

— *L'icône de l'Assomption,* Éditions orthodoxes, Paris, 1953.

OZOLINE N., « Quelques images relatives à la célébration primitive de la cinquantaine pascale », XXVIᵉ semaine des Études liturgiques de Saint-Serge sur *L'Église dans la Liturgie,* Edizioni Liturgiche, Rome, 1980 ;

— « L'icône de la Nativité », in *Contacts,* n° 96, Paris, 1976.

REAU L., *Iconographie de l'art chrétien,* PUF, Paris, 1957.

ROUSSEAU D., *L'icône, splendeur de ton visage,* DDB, Paris, 1982.

SAS-ZALOZIECKY W., *L'art paléochrétien,* Payot, Paris.

SCHÖNBORN C. von, *L'icône du Christ. Fondements théologiques élaborés entre le Iᵉʳ et le IIᵉ concile de Nicée,* Éditions universitaires, Fribourg, 1976.

SENDLER E., *L'icône, image de l'invisible. Éléments de théologie, esthétique et technique,* DDB, Paris, 1981 ;

— « L'icône de la Nativité », « La Théophanie », « L'icône de la Résurrection », « L'iconographie du Jugement Dernier », « La Transfiguration », « L'iconographie de la Dormition de la Mère de Dieu », articles parus dans la revue *Plamia,* respectivement n° 58 (1981), n° 61 (1982), n° 59 (1982), n° 64 (1983), n° 62 (1983), n° 65 (1984), Meudon.

SOTIRIOU G. et M., *Icônes du mont Sinaï,* collection de l'Institut français d'Athènes, Athènes, 1958.

THIERRY N. et M., *Nouvelles églises rupestres de Cappadoce,* Klincksieck, Paris, 1963.

VLOBERG M., « Les types iconographiques de la Mère de Dieu dans l'art byzantin », contribution à *Maria, études sur la Sainte Vierge,* sous la direction de Hubert du Manoir, t. II, Beauchesne, Paris, 1952 ;

— *L'Eucharistie dans l'art,* t. Ier, Arthaud, Grenoble-Paris, 1946.

WALTER C., *L'iconographie des conciles dans la Tradition byzantine,* Institut français d'études byzantines, Paris, 1970.

WILSON I., *Le suaire de Turin,* Albin Michel, Paris, 1978.

TEXTES LITURGIQUES BYZANTINS
EN VERSION FRANÇAISE :

EDELBY N., *Liturgicon,* Beyrouth, 1960.

GUILLAUME D., *Triode, Pentecostaire, Paraclitique, Ménées,* Rome.

MERCENIER E., *La prière des églises de rite byzantin,* t. II, 1re partie : « Les fêtes fixes », 1953 ; t. II, 2e partie : « Les fêtes mobiles », 1948, Chevetogne.

TABLE DES MATIÈRES